新潮文庫

ミッキーマウスの憂鬱

松岡圭祐著

新潮社版

8516

ミッキーマウスの憂鬱

Prologue

プロローグ

最終テスト

〝ジャングル・クルーズ〟も、二十周以上もつづけて乗ると船酔いしてくる。やわらかな午後の陽射《ひざ》し。水面に乱反射する光の渦や、潤《うるお》いを帯びてまばゆいばかりの輝きを放つ熱帯雨林の緑。絶好のアトラクション日和《びより》だった。どんな客《ゲスト》だろうと、ワクワクしながら密林の川下りを楽しみ、満足して船《ボート》を降りることになるだろう。

しかし、自分はちがっていた。コースを周《まわ》ってきた三十人乗りの船が、港を模した出発地点に横付けされても、降りることなくまた出発しなければならない。自分だけではない。ボートを埋め尽くすスーツ姿の男たちは誰ひとり、立ちあがることさえない。一周ごとに入れ替わるのは、ゲストではなく船長役のほうだった。

早瀬実《はやせみのる》は船の後方の座席で、姿勢を正した。疲労を感じている場合ではない。自分も、三十歳をすぎてようやくスーパーバイザーなる肩書きを得た身だ。長い準社員《アルバイト》生活の苦労がようやく実を結びつつある。周りの正社員同様、しっかりと準社員採用試験の審査員を務めねばならない。

早瀬の隣りに、同世代の痩《や》せた男が座っている。リードなる肩書きを持ち、運営課の長を勤める錦野文昭《にしきのふみあき》が、乾いた声できいてきた。「次は誰？」

「ええと」早瀬は手もとのリストに目を落とした。「後藤大輔《ごとうだいすけ》。二十一歳。派遣ですね」

「ああ、そう。派遣」錦野はぼんやりとそう告げると、前方に目を向けた。

早瀬は錦野の横顔を眺めた。

錦野に対して、早瀬はけっして埋まることのない溝の存在を感じていた。同じ課長職でも、錦野は正社員として採用された身だ。最終学歴も大卒だった。高卒で準社員採用だった早瀬のほうが先にスタートしたレースに、錦野は何年も遅れて参加し、難なく追いついた。ほんの一、二年後にはコスチュームからスーツへと着替えて、本社勤務へと転ずるのだろう。その背中は、いずれ見えないほどに遠ざかっていく。そんな正社員のスピード出世ぶりを、早瀬は過去に何人も見てきた。

ふと、錦野の目がこちらを見た。「なにか？」

「いえ。なんでもありません」早瀬は気おくれしながら、正面へと視線を移した。

快活な男の声が響いた。「百十七番、入ります」

桟橋からひとりの若い男が乗りこんできて、船首に立った。〝ジャングル・クルーズ〟の船長役のそのキャストは、冒険家スタイルのコスチュームをそつなく着こなし、笑顔に白い歯を輝かせてゲストたちに向き合った。身長は百七十センチ前後、肌は浅黒く、身体《からだ》もそれなりに鍛えているらしく引き締まっている。高校で運動部に所属していたのなら、そこそこ女子の人気を得ていたタイプだろう。顔だちは整っているが、両目が離れていて、やや犬顔にみえる。

錦野も同じ感想を抱いたらしかった。「犬みたいな顔だねぇ」

「ええ」早瀬はつぶやいた。「そうですね。アドベンのキャストには向いてるかもしれません。顔の印象だけですけど」

船がゆっくりと動きだした。

密林を再現した空間に流れる一本の川を、楕円形《だえんけい》の船が下りはじめる。側面に壁はない。外に背を向けるかたちにベンチシートに並んで座るスーツ姿の男たち。彼らの射るような目は、たったひとりの船長役のキャストに向けられていた。

青年は舵《かじ》を握り、操縦するふりを始めた。船は、川底に敷かれたレールに沿って動いている。それをいかに船長の舵さばきで操縦しているように見せるかが、最初のチェックポイントだった。

ところが、舵を回す動作と船の針路が同調していない。どうみても船長のほうがワンテンポ遅れている。

錦野が早瀬に耳うちした。「操縦しているようには見えないねぇ」

「はい。おっしゃるとおりです」早瀬は書類に目を落とし、ボールペンで書きこんだ。『演技』と『ゆとり』の項目にマイナス一点を課す。

やっとのことで舵を動かす芝居にそれなりの説得力が生じ始めると、後藤大輔なる準社員候補はようやくほっとした顔をゲストに向けた。「えーと、いらっ……。いえ、あのう。こんにちは」

ため息まじりに錦野がいった。「いま、いらっしゃいませと言おうとしたね」

「そのようですね」早瀬は『ゆとり』の項にさらにマイナス一点を課した。いらっしゃいませという挨拶《あいさつ》は、ここでは禁句だ。

後藤大輔は大粒の汗を額に光らせながら、必死で笑顔をとりつくろって喋《しゃべ》りつづけた。「みなさん、こんにちは。ジャングル・クルーズへようこそ。私は船長の後藤、これからみなさんを、ええと、ジャングルの不思議な旅、あ、いえ、不思議じゃなくて……不思議ってのはシンデレラ城のほうでしたよね、ここはなんだっけ」

しんと静まりかえった船内。密林から流れてくる鳥のさえずりや太鼓の効果音だけが響いている。後藤は笑顔のまま固まっていた。その表情がひきつりだしたころ、スーツ姿の乗員のひとりが助け舟をだした。「神秘」

「そうそう、神秘。密林の神秘的な旅へとみなさんをお連れします」後藤は大仰《おおぎょう》な笑顔とともにそういったが、また手もとがおろそかになっていることに気づいたらしい、舵に飛びついて、船の進行方向に合わせて操縦の演技に興じた。

船を操る船長のはずが、どうひいきめにみても船に翻弄《ほんろう》されてしまっている。目もあてられない醜態《しゅうたい》だと早瀬は思った。緊張のせいであがっているにしても、ここまで痛い芝居にはそうめぐり合うこともない。

「ええっと」後藤はなおも満面の笑みを崩さなかった。額の汗はまるで滝のようだった。「まずはイラワジ川です。じゃない、ナイル……でもないや、ええと、アマゾン川でした。右手に見えてきましたのは、象さんですね。手を振ってあげましょう、こんにちはー」

後藤は右手を高々とあげて振ったが、スーツの男たちは誰ひとり同調しなかった。機械的な動作で鼻を上下させる象、無表情で眺めるだけの乗員たち。後藤は気まずそうに、おろおろと目を泳がせていた。

「そのう」後藤は消えそうな笑顔を必死で維持しながらまくしたてた。「ジャングルには、平和な動物ばかりじゃなくて、その、危険もいっぱいあるんですよ。ええと首狩り族、はまだだっけ、あの、ワニとかそういう……」

錦野が早瀬につぶやいてきた。「順番めちゃくちゃだね」

「ですね」早瀬は『ルーティーンの把握』の項に書きいれた。マイナス一。

ところがそのとき、後藤の目がふいにまた輝きだした。不安のいろはまだ払拭《ふっしょく》されてはいないが、にわかに語気が強まる。「みなさん、危険がいっぱい潜んでいるからって、そんなに怖がらないでくださいね。ジャングルには、それこそ危ないことはいくらでもあるし、タラちゃんでもあります」

唐突なギャグ。早瀬は鳥肌が立つのを感じた。

時間は止まっていた。静かだった。誰ひとり、咳《せき》ひとつしなかった。

東京ディズニーランドに、こんなに静かなアトラクションが存在したのか。長年勤めてきた早瀬にすらそう思える、異様な静寂《せいじゃく》があった。

「あの」後藤は痛々しい笑顔を保ちながら、ダジャレのオチをくりかえした。「イクラでもあるし、タラちゃんでもある……、いちおうそういったんですけど……」

「なにあれ」錦野が固い顔でいった。「あんな話、マニュアルにあった？」

早瀬はため息をついた。「ジャングル・クルーズはキャストのアドリブを許してますから。自分で考えてきたんでしょう。彼なりに面白いと思って」

錦野が早瀬を見た。「どこが面白いの？」

「いや、だから」早瀬はうんざりした気分で説明に入った。「イクラでもあるし、タラちゃんでもあるっていう……、イクラちゃんとタラちゃんっていうことで」

「ああ、サザエさん？」錦野はにこりともしなかった。「ディズニー以外のフィクションをアドリブにいれちゃ駄目だよ。ゲストの夢壊すでしょ」

「そりゃ、私はよくわかってますよ」早瀬はそういいながら、書類のどこに減点を課そうか迷った。ダジャレがくだらなさすぎる。そんな項目は存在しない。

当惑したあげく、『独自性』と『趣味のよさ』をそれぞれ減点した。

そのとき、川辺に予期せぬものが出現した。ミッキーマウスとミニーマウスが密林から姿を現し、手を振っている。

後藤ひとりだけが呆然《ぼうぜん》とたたずんでいる。ミッキーとミニーの登場があることは、彼には事前に知らせていない。ハプニングをいかにゲストの最大限の喜びに結びつけるか、キャストの能力を試すためのテストだったのだ。

だが、後藤は唐突な展開についていけないらしく、ひきつった笑顔でつぶやいた。「あの……。やっぱ着ぐるみって、前見えないのかな。道に迷ったんですかね、あのふたり」

　着ぐるみ……。

　早瀬は頭を抱えた。目の前にいる社員たちをゲストと見立ててキャストを演じねばならない、そういうシミュレーションの基本原則が、彼の頭からすっかり飛んでしまっているらしい。

「もういいだろ」と錦野が投げやりにいって、腕組みをした。

　同感だった。早瀬は傍《かたわ》らのメガホンを手にとり、それを通じて青年に声を張りあげた。「そこまで。百十七番、お疲れさまでした」

　スーツの男たちの緊張が一気に解けた。伸びをして立ちあがる彼らが、本物のゲストではなく本社の人間で幸いだった。こんな体《てい》たらく、一般のゲストの目に晒《さら》せようはずもない。

　だが、後藤大輔は周囲の冷ややかな空気をまるで意に介していないのか、にっこりと笑って、深々と頭をさげた。

「お疲れさまでした」と後藤はいった。声にも張りがある。まるで、自分のやれることはすべてやった、全力を尽くしたとでもいいたげな満足感に満ちている。

「痛いね」錦野がささやいてきた。「こんなに痛いのはひさしぶりに見たよ」

「違いないですね」早瀬もつぶやきかえした。

錦野は頭をかきむしりながらいった。「彼、研修《オリエンテーション》はちゃんと終わらせてるの？」

「人事部ユニバーシティ課からの報告書に印が押されてますから、いちおう終えてるんでしょう。でも本社採用じゃないんで、ディビジョントレーニングとか概要説明《TCP》、オンザジョブトレーニング《OJT》については省略されてるらしいです」

「派遣だからか」錦野はふうっとため息をつき、シートの背に身をあずけた。「こんなの、採らなきゃいけないのかねぇ」

「ディズニーシーができても準社員の数は一万人のままですし、ランドとシーの両方をやりくりしてますからね。人手不足は相変わらずですよ」

「ま、午後の面接にだけは呼んでみるか」と錦野は後藤の履歴書を脇《わき》に置いていった。「いつでも笑顔を絶やさない点だけは気にいった。キャストには重要な素質だ」

早瀬は首をひねりながら後藤のほうを見た。後藤は屈託のない笑顔を保ちながら船首に立ち、船が出発地点まで戻るのを待っている。

錦野の見立ては正しいだろうか。

たしかに不安やストレスをオンステージに持ちこむことなく、いつも笑っていることはキャストに課せられた任務ではある。しかし、後藤大輔の場合はどこか違うように思える。キャストの笑顔はあくまで役割演技だ。

後藤は単に〝天然〟というだけではなかろうか。素朴な疑問が、早瀬のなかで渦巻いていた。

面接

〝ジャングル・クルーズ〟のアトラクションを出て二時間後、後藤大輔《だいすけ》は株式会社オリエンタルワールドの本社棟に足を踏みいれていた。

あの東京ディズニーランドを運営する会社、それもディズニーリゾートの敷地内に建っているからには、よほど遊び心に満ちた建物かと思いきや、ビルは意外なほどこざっぱりしていて、ロビーも地味なグレーの色調で統一されていた。ひとけはほとんどない。以前にアルバイトの面接を受けにいった丸の内の企業を彷彿《ほうふつ》とさせる。

後藤を案内し、ここに連れてきた女は正社員らしい。ネームタグをつけているが、服装はランドのキャストとは違い、純然たるOL風だ。それでも終始にこやかで、愛想はいい。準社員に応募しただけの僕にここまで丁寧に対応してくれるなんて、素晴らしい企業じゃないか。後藤は内心沸きあがる驚きと喜びに満ちていた。やはり自分の直感は当たっていた。ここは夢と希望に満ちた職場だ。中学生のころ、たった一週間だけ付き合うことができた恋人と足を運んだ、後にも先にもいちどきりのデートの場。広大な敷地に幻想的な風景、楽しいアトラクションの数々に目を見張って以来、ディズニーランドこそが理想の職場と心にきめていた。これから自分も、夢の送り手となり、あの王国の住人となるのだ。

自然に顔もほころんでくる。働いている人々がいつも笑顔を絶やさないのも、そのせいだろう。

後藤は胸を躍《おど》らせながら、女性社員につづいて廊下に歩を進めた。突き当たりの扉の前で女性社員は立ちどまり、ノックした。「失礼します。準社員候補百十七番、後藤大輔さんです」

「どうぞ」ドアの向こうからくぐもった男の声が応じた。

女性社員が扉を開ける。その向こうは、ロビーや廊下よりもさらに無機的な事務室だった。

パソコンが据え置かれたデスクがいくつかと、会議テーブルがひとつ、そこにはふたりのスーツ姿の男がおさまっている。男はふたりとも三十歳前後、これといって特徴のない顔だちをしている。

後藤は一瞬にして、冷え切った現実の世界に投げだされたと感じた。やはりディズニーランドにも、こういう冷ややかな側面が存在していたのか。あるいは、採用か不採用かを最終決定できる権限を有していることが、彼らをいっそう冷たくみせているのかもしれなかった。どんな役職かはしらないが、彼らは後藤の採用を断った丸の内の企業の人事課や、恵比寿《えびす》のビデオレンタル店の事務局と同じ立場にあるのかもしれない。

しかし、後藤が会議テーブルをはさんでふたりの前に立つと、ふたりの男の顔には笑顔が浮かんだ。ディズニーランドでは誰もがみせる微笑がそこにある。

後藤はほっとした。自分の思いすごしだったかもしれない。

女性社員が、後藤に紹介した。「こちらは早瀬課長、そしてその隣りが錦野《にしきの》課長」

すかさず後藤は頭をさげた。「後藤です。よろしくお願いします」

「ま、顔をあげてください」錦野は口もとをゆがめたままいった。「ええと、後藤大輔君。二十一歳。高卒だね?」

「はい。岐阜県立柄島高等学校卒業です」

「すると、いまは上京して独り暮らし?」錦野は履歴書に目を落とした。「定職についたことは?」

「ええと、そのう」思わず言葉に詰まる。後藤は咳ばらいした。「ずっとフリーター勤めで……」

「ああ、専業準社員ね」錦野は笑って後藤をみた。

後藤はさらなる安堵《あんど》を覚えた。フリーアルバイターであることを咎《とが》めるような姿勢は、ここにはないらしい。むしろ歓迎されている、そんなふうに感じられた。

ところが、早瀬のほうは微笑を保ちつつも、やや棘《とげ》のある口調でいった。「ひとつ確認しておきたいんだがね、後藤君。ミッキーマウスのなかには、人など入っていないよ」

困惑が後藤のなかにひろがった。思わず苦笑を浮かべてみせる。

早瀬も笑いで答えたが、目は真剣だった。

いっそう戸惑いが深まる。ディズニーランドでは、園内に存在するすべてを現実とみなすことが鉄則になっている、そうきいた。ゲストの前では、ミッキーマウスは実物のキャラクターだと主張せねばならない。

だが、裏でもそうなのだろうか。まさかキャスト同士でも、ミッキーマウスは人間の大きさのネズミだと信じて対話せねばならないというのか。

いや、そんなことは信じられない。後藤は緊張のあまり、混乱しつつある思考のなかでかろうじて結論をだした。あれは着ぐるみだ。まさかディズニーランドに長年勤めあげている大のおとなが、ずっとだまされつづけていたわけではあるまい。

「あのう」後藤はいった。「あれは着ぐるみだと思いますけど」

錦野がかすかに苛立《いらだ》ちをのぞかせた。「そんなことはわかってるよ」

ようやく後藤は、〝ジャングル・クルーズ〟での自分の失態《しったい》を責められているのだと気づいた。自分はミッキーとミニーについて、着ぐるみだとこぼしてしまった。あろうことかゲストの面前で。そのことを叱咤《しった》されているのだ。

「あ、ええと、すみません」後藤は弱々しいつぶやきを漏らした。「ついうっかり、着ぐるみだなんていっちゃって」

早瀬はため息をついた。「オンステージだけじゃなく、通勤中も気をつけてね。電車のなかで友達と、ミッキーの着ぐるみについて話したりしないように。バックステージのことは極秘だ。わかるね」

「はい。でも、あの……。オンステージって？　舞台の上ってことですか」

ふたりのスーツの男は顔を見合わせた。さすがに笑顔も薄らぎつつある。

錦野が後藤に向き直ってたずねてきた。「インパークしたことないの？」

「つまり、ゲストとしてディズニーランドに来たことはないの？」

「インパーク？」

「あります。でもショーはあまり見たことが……」

早瀬が後藤の言葉を制していった。「ディズニーランドは遊園地ではなく、体感する映画とでも呼ぶべきテーマパークなんだよ。そこで働く人々はすべて役割を演じていて、だから従業員は全員出演者《キャスト》と呼ばれ、訪問客はゲストと呼ぶ。ゲストの目に触れるところはぜんぶオンステージ。そうでない裏舞台がバックステージ。オンステージではキャストは常に演技をつづけている。食堂で働こうが掃除係だろうが、彼らは演技者だ。あなたがキャストになるのなら、そこをまず理解せねばならない。もちろん準社員を辞めたあとも、ゲストの夢を壊すようなことを口外してはならない」

「自衛隊みたいですねぇ」後藤はみずからの緊張をほぐすべく、冗談めかせていった。

「辞めたあとも秘密厳守なんて」

錦野は怪訝《けげん》な顔で早瀬をみた。「でも後藤君は、バックステージを通ってここまで来たんだろ？」

いいえ、と女性社員が告げた。「オンステージからゲスト用の出口をでて、外をまわって本社にお連れしてます。準社員候補はまだ、バックステージに入れないので」

「ああ、そうだったね」錦野はとぼけたような顔をした。「しかし、オンステージにバックステージなんて用語はもう常識だと思ってたけどね。よく本社が採用してくれたね」

早瀬がささやいた。「派遣です」

「あ、派遣か」錦野は指先で額をかいた。「派遣ってことは、広告にディズニーランドとは明記してなかっただろう？　うちの募集だってことは気づいてたのかな？」

「ええ、もちろんです」後藤は胸を張った。「舞浜の超巨大テーマパーク、ショーおよびパレードのスタッフ募集とありましたから。こちら以外にはありえないと思ってました」

「どうして東京ディズニーランドで働きたいと思ったの？」

「ええとですね、話せば長くなりますが……」

早瀬が口をはさんだ。「手短に」

「……はい。ええと、僕はこれまでいろいろなアルバイトを経験してきましたが、どれも単調っていうか、夢がないっていうか。毎日くたくたになるまで働いても、感謝されることはごくわずかで。そんな折、『ファインディング・ニモ』を観《み》まして。そうか、ディズニーって素晴らしいなぁと思いまして。クマノミも飼ったんですよ。当

時は大ブームでどのペットショップでも売りきれてて、似た色の金魚ならあるってい
われたんですけど……」
「もういいや」錦野が片手をあげて制した。「時給は八百円だけど、それについて異
議はない？」
八百円。後藤のなかに暗雲が渦巻いた。「高校生は八百円で、一般は九百円だとき
いてましたが……」
「それ、何年か前の話なんだよね。いまは八百円」
早瀬はじれったそうに錦野にささやいた。「彼の場合は派遣だから……」
「ああそうか、派遣だったね」錦野は飄々《ひょうひょう》とした口調でいった。「じゃ、金銭面のこ
とは派遣会社にきいてよ。で、どうしようかな。あの調子じゃ、アトラクションのキ
ャストってわけにはいかないだろうし……」
自己アピールの機会だ。後藤はにこやかな表情をつとめながら声を張った。「僕、
高校時代は演劇にも興味がありまして。部活は野球部だったんですけど、同級生に頼
まれて演劇部の舞台にも立ったことが……」
「いや、それはいいんだよ」錦野はあからさまに嫌悪《けんお》する顔を一瞬浮かべると、ふた
たび履歴書に見いった。「明るいところはいいんだけどなぁ。ちょっと口数が多すぎ

る気もするし」

しばらく沈黙の時間が流れたのち、早瀬がぼそりといった。「うちのほうで二課の頭数が足りないことは足りないんですが……」

「そっか」錦野の顔に笑いが戻った。「派遣だしね。ビ、ビ、ビソーブのほうで面倒をみてくれるかな。それが一番いいと思う」

ヴィソーブ。後藤の耳にはそうきこえた。何語だろう。なにやら格好よさそうな名称ではある。

「じゃ」早瀬が後藤をみていった。「来週火曜から出勤頼むよ。それまでに床屋にいって、ディズニールックにしてくるように」

「ディズニールック？」

「男のキャストの場合、髪は耳にかからないようにすること。染めないこと」

後藤の髪はかなり伸びていた。美容室にも先週いったばかりだ。流行《はや》りのカットにまとめたつもりだが、ばっさり切らねばならない。まるで中学生のころの校則だった。

だが、と後藤は姿勢を正した。とにかく東京ディズニーランドに雇用を受けた。念願の採用だ。これが嬉《うれ》しくないはずがない。

高鳴る胸を抑えながら後藤は深くおじぎをした。「ありがとうございます。来週からよろしくお願いします」

錦野が早瀬を指差していった。「スーパーバイザーの早瀬君がきみの上司になるからね。なんでも聞くといい」

スーパーバイザー。ヴィソーブ。やる気の出てくる役職名や部署名が次々と披露される。同じアルバイトでも、事務窓口やホール係、レジ係、営業手伝いと呼ばれていた職業とは格段の開きがある。

ふと気になって、後藤はたずねた。「僕の役職名は、どういうものになるのでしょうか」

そうね、と早瀬が天井を仰いだ。「キャラクターイシューを勤めてもらうことになるかな。ま、やるからにはすぐ辞めたりせずに、長くつづけてね」

後藤は興奮していた。これまた良さげな音の響きを持つ肩書きだ。ディズニーといえばキャラクター。ひょっとしたら、キャラクターを演じたり演技指導をおこなったりする立場かもしれない。

「頑張ります」後藤は力強くいって、もういちど頭をさげた。

ついに夢と魔法の王国にデビューだ。まさに全身で歓喜したい欲求に駆られていた。希望が叶《かな》った。日本で最も注目度の高いこの職場で働ける日が来るなんて、信じがたい快挙だ。なんと光栄なことだろう。

長くつづけてね、スーパーバイザーの早瀬なる人物はそういった。誰が辞めたりするというのだろう。誰がこの夢溢《あふ》れる職場を離れようなどと考えるのだろう。

1st Day

第一日

初出勤

一週間がこれほどまでに長いとは思ってもみなかった。こうして舞浜《まいはま》の青く澄みきった空を仰ぐ日がくるのをどれだけ待ち焦《こ》がれたことか。約束の火曜がやってくるのを、何度指折り数えただろう。いま、すべては現実になった。その瞬間がやってきた。後藤大輔《だいすけ》は胸を躍《おど》らせながらＪＲ舞浜駅の改札をでた。腕時計に目をやる。午前十時半。ディズニーランドはすでに開園している。お客も入場、いや、ゲストもインパークしている。初日は、少し遅れた時刻から出勤してもらうから。電話で運営部の人がそういっていた。歓迎会でもあるのだろうか。未知の職場に期待はいやがうえにも盛りあがる。

陸橋を渡ると、行く手にゲートがみえてきた。そよ風にのって、耳に馴染《なじ》みのある陽気な音楽が耳に届く。ワールドバザールの屋根の向こう、いつもよりひときわ美しくみえるシンデレラ城の眺めがあった。

ゲート前、チケット売り場には長い列ができている。中学生のころ、あの列に彼女と並んだ。いまは自分の行き先は違っている。ゲートでゲストを迎えいれている、あの明るい笑顔の女性たちと同じ立場にあるのだ。

スーツのネクタイが曲がっていないことを指先でたしかめながら、鼻息荒く突き進む。関係者専用と記された階段を降りる。駆け足で下る自分の靴音に酔いしれつつ、木立のなかに伸びる小道へと歩を進めていった。

後藤はすでに感極まっていた。こんなところに道があったなんて。ゲストとして訪れている人々にしてみれば、ここは単に木々の生い茂る一帯でしかない。通路があるなんて夢にも思わない。いま、自分はその道をたどっている。夢と冒険の王国、その裏側につづく秘密の小道を。

セキュリティゲートに着いた。警官のような制服を着た警備員たちもキャストだった。年齢は後藤と同じくらいにみえる。こんにちは、と声をかけてくる警備員に、後藤はわざとそ知らぬ顔をして通りすぎようとした。

「すみません」と警備の青年が声をかけてきた。「IDを拝見できますか」

後藤はもったいつけて、派遣会社からもらった通行証をとりだし、警備員に提示した。こういう場合、どうあいさつを交わすべきか、正確なところはわからない。だが、後藤の気分は高揚していた。自己紹介が滑《なめ》らかに声になった。「キャラクターイシューの後藤です。本日付で準社員として勤務することになりました」

「あ、派遣のかたですか」警備員はにっこり微笑《ほほえ》んだ。「どうぞ。ワードローブビルは、この道をまっすぐいって左手にある黄緑いろの建物ですよ」

「ワードローブ?」

「ええ。ビソーブにおいでになるんでしょう?」

後藤はやや面食らった。通行証には自分と派遣会社の名、従業員番号が書いてあるだけだ。どうやってこちらの配属先を判別したのだろうか。

だが、続々とゲート入りするキャストたちの流れを堰《せ》きとめて、しろうと同然にたたずむのは格好がつかないと感じた。

「ありがとう」後藤はそっけなく告げて、さっさと歩きだした。新入りであることを見抜かれて、なめられたくはない。わからないことは山ほどあるが、そのうち理解できるだろう。

林のなかを緩やかに蛇行する道をたどっていくと、ほどなく黄緑いろの小さなビルがみえてきた。かつてディズニーランドを何度訪れようとも目にしたことのない建物。

いよいよだ。後藤は勤務の拠点を見あげて深呼吸した。

ディズニーランドの裏側に足を踏みいれてまず思ったことは、裏舞台のわりには綺《き》麗《れい》だということだった。ワードローブなるビルから掃《は》きだされてくるキャストたちが、その鮮やかな原色の制服とは裏腹にむっつり黙りこくったまま、後藤に笑顔ひとつ投げかけることなく通りすぎていくことを除けば、ここはディズニーランドの表舞台となんら変わりがなかった。一階にはなぜか、チケットカウンターまで存在している。本当にここがバックステージかどうか、ふと不安になる。

後藤はカウンターに近づき、女性のキャストに通行証をしめした。「あのう」

女性は微笑をかえしてきた。「ああ、ビソーブの人ですか。なにか?」

また通行証を一見しただけで、業務内容が判明したようだ。ビソーブとはいったいなんだろう。

「そのう」なぜか声を潜めがちになってしまう。後藤はいった。「きょうから勤めることになったんですけど……」

「お疲れさまです。ビソーブのオフィスはその階段をあがって二階です」

「どうも。このカウンターでは、チケットを売ってるんですか?」

「はい。キャストアクティビティセンターといって、キャスト用のチケットを売ってるんです」

キャスト用のチケット。働いている人間も、無料《ただ》でインパークはできないのか。以前にアルバイトで勤めたことのある浅草の『花やしき』は、いつでも顔パスで入場できたのに。

女性に礼を言い、階段に向かいかけて、後藤ははっと立ちすくんだ。

開け放たれた扉の向こう、倉庫のように雑然とした部屋のなか、二段になった棚に、ミッキーマウスの頭部がいくつも並んでいた。

それは人生で初めてまのあたりにする衝撃的な光景だった。ミッキーの頭部。ミニーやドナルド、デイジー、プルートもある。みな笑っている。胴体部分は床に並べられていた。建物の外観とは対照的に、この部屋にはいかにも裏舞台という埃《ほこり》っぽさが漂っている。ゲストがあれほどまでにありがたがるミッキーたちの着ぐるみが、バックステージでどれだけ尊重されているのかと思いきや、ずいぶん雑な扱いがなされていた。

やっぱ、着ぐるみじゃん。後藤は小声でそうつぶやいた。

同時に、妙な自信がこみあげてきた。自分はもう、完全にディズニーランドの裏側で働く人間になりえたのだ。ミッキーを着ぐるみと口走ってはいけない、そんな配慮はオンステージにでるまで必要ない。ここは秘密の楽屋。自分はいわばウォルト・ディズニーの下で働く一員となったのだ。

そのとき、ふいに肩を軽く叩《たた》かれた。振りかえると、やや小太りの女がいた。水いろのポロシャツに紺のスラックス姿で、コートのようなジャケットを羽織っている。一見してキャストとわかるが、見覚えのない制服だった。格好よくも可愛《かわい》くもない。どのアトラクションを受け持っているのだろう。

後藤は率先してあいさつした。「こんにちは。きょうからキャラクターイシューとして働くことになった……」

女は仏頂面《ぶっちょうづら》のまま、手にしていたビニールの包みを押しつけてきた。「アピアランスコーディネーターです。まずは着替えてください」

「なにこれ」後藤はきいた。

「わたしが着てるのと同じ」

後藤は女の服装をいまいちど眺めまわした。思わず本音が漏れる。「あまり、趣味のいいユニフォームじゃないね」

「コスチューム」

「え？」

「キャストが身につける服は舞台衣装と同じ。だからコスチュームって呼ぶんです」

「なんか、イメクラみたい」後藤は笑ってみせた。

が、新入りの下衆《げす》なジョークに女はあからさまに嫌悪《けんお》のいろを浮かべた。聞かなかったようなふりをしつつ、後藤の足もとを見おろしていった。「靴は自前だけど、その黒い革靴なら問題なさそうね。靴下は黒?」

「ええ、まあ……」

「じゃ、それも自前で。着替えたら二階のオフィスにいってください」女はそういって立ち去りかけた。

包みを持ったまま途方に暮れながら、後藤は女の背に声をかけた。「どこで着替えるの?」

女は立ちどまり、振りかえって無表情のままいった。「ズーでいいでしょ」

「動物園《ズー》?」

少しばかり苛立《いらだ》ったようすで、女は倉庫の扉に顎《あご》をしゃくった。「このキャラクタールームのこと。ほんとはロッカールームで着替える規則だけど、いま満員だから。それと、髪が耳にかかってきたら、ここの三階にある理髪店でただちに切ってください。ディズニールックは厳守です」

女はそれだけいうと、返事もきかず歩き去っていった。

後藤は困惑しながら、キャラクタールームに足を踏みいれた。扉を閉める。笑顔のミッキーとミニーの頭部に囲まれながら、そそくさと着替えた。当初この部屋に感じた新鮮な驚きは、早くも薄れつつあった。

部屋にも廊下にも全身を映すことのできる鏡がある。後藤は部屋をでながらそれらの鏡を眺め、手早く上着の襟もとを整えると、階段へと向かっていった。

二階にはキャスト専用の食堂もあった。色とりどりのコスチュームをまとった男女が、ごくふつうに食事を摂《と》っている。キャストの仏頂面というのはそれだけで一見の価値がある。笑っているのが当たり前のような人々の裏の生活を覗《のぞ》き見てしまった、そんな後ろめたささえ感じる。

いや。それはさっきのキャラクタールームと同様、自分の立場の変化をしめすものだ。後藤は思った。自分はもう夢の送り手側なのだ。ゲストではない。気を引きしめて、ゲストに夢を与えるべく全力を尽くすのだ。

廊下を歩いていくと、開け放たれたドアの向こうに、ありきたりの事務用デスクが並んだオフィスがあった。人々は出払っているのか、がらんとしている。恐縮しながら入室すると、ひとりの女の声が耳に飛びこんできた。

「だからさ」女の声はオフィスに響きわたっていた。「ロープダウンがなんで遅れたか、そのわけを聞いてるの」

ひとけのないオフィスで、二十歳そこそこの痩《や》せた女がひとり腕組みをして立っている。その真向かいには、高校生ぐらいの少年がうな垂《だ》れていた。まるで職員室に呼びだされて女教師の小言を受ける学生のようだった。あるいは、実際に学生なのかもしれない。高校生も東京ディズニーランドの準社員採用を受けている。

女のほうは、後藤が着ているものよりは数段趣味のいい艶《あで》やかなコスチュームをまとっていた。たしかファンタジーランドのエリアで見かけたことのある服装だ。髪は女性用のディズニールックにまとめあげられ、ナチュラルに肩までの長さで整えられていた。メイクも薄いが、そもそも化粧の必要を感じさせないほど目が大きく、鼻すじも通っていて整った顔つきをしている。美人にはちがいないが、どこか個性的だった。その言動と同様、女教師に向いている印象がある。

少年は、パレードでよく目にするキャストのブレザー姿だった。その服装は年齢相応に学生服っぽいデザインだが、説教を浴びせられて小さくなるさまはまさに学生そのものだった。

後藤はふたりに歩み寄っていったが、女は後藤を一瞥《いちべつ》することもなく、ただ少年に対して厳しい口調でまくしたてた。「パレード終了後の撤収が遅れたら、それだけゲストが混乱するでしょ。ただでさえクリッターカントリーからホーンテッドマンション方向に急ごうとする流れを堰きとめてるのに、開かずの踏み切りみたいにいつまでもロープを張りっぱなしじゃ、後方のゲストが押し寄せて将棋倒しになるじゃない」

「すみません」少年はぼそりと告げた。「なんか、ゲストがわぁっと押し寄せてきたんで、ロープが絡《から》まっちゃって……」

「で、ゲストの落としたミッキーの耳を踏んづけて、壊しちゃったと」

「はい。弁償するっていったんですけど……」

「余計なことはいわなくていいの」女はぴしゃりといった。「お金をだせば済むと思ってるの？　パレードゲストコントロールはマニュアルにきめられた行動をとらなきゃならないの。アクシデントのときもそう。すみやかに無線でトレーナーを呼びなさいよ」

白熱する議論のなかに、後藤は割って入った。「あの。ヴィソーブのオフィスってのは、どこに……」

女はちらと後藤を見やった。いつの間にこんな男が現れたのだ、そんな驚きを漂わせた目でつぶやく。「ここがそうよ」

後藤は女の胸にあるネームタグを見た。桜木由美子《さくらぎゆみこ》と名が記されている。そんなネームタグも、後藤は持ち合わせていない。どこで入手できるのだろう。

桜木由美子は咳《せき》ばらいして、机の上を指さした。後藤はそちらに目を向けた。ノートの黒革表紙に、金文字で『美装部』とある。

美装部。まさに頭を殴られたかのような衝撃だった。フランス語じゃなかったのか。

「これだったの……」思わず、情けないつぶやきが漏れる。

しかし、由美子は後藤のようすを注視することはなく、ひたすら少年への説教に忙しかった。「ディズニーグッズを破損した場合は、ゲストをなだめて裏ショップへ。それ以外の持ち物を壊してしまったときにはトレーナーが平謝り、それでも駄目ならクラブ33で小一時間ほど接待。オリエンテーションで習ったでしょ」

「あの」後藤はまた由美子に声をかけた。「美装部のひとですか?」

由美子の目がふたたび後藤に向いた。今度は苛立たしさに満ちたまなざしだった。

「十一時からパレードがあるんだから、美装部は一課も二課も準備にでてるでしょ」

「きみはいかなくていいの?」

「わたしは運営部運営課。午前のパレードのシフトじゃないし」由美子は早口にいって、また高校生に向き直った。「壊れたのはミッキーの耳だけ?」

少年は首を振り、弱々しい声で告げた。「近くにいた子供が水筒を落として、ひびが入りました。水筒の持ちこみ自体、禁止されてるんですけど」

「でも壊していいって話にはならないわね。水筒ならグッズ売り場から適当なものを見つくろって……」

「ピカチュウの水筒だったんです」

由美子は困惑ぎみに表情を固くして、口ごもった。「それより値段の高いディズニーグッズの水筒をプレゼントして、妥協してもらうしか……」

「でも子供が、ピカチュウじゃなきゃやだって……」

後藤は戸惑いながら、由美子にたずねた。「すみません。僕、一課か二課のどちらでしょうか」

「知らないわよそんなの」由美子は後藤に視線を向けることなくいった。「上の人間にきいたら？」

いっそう困惑を深めつつ、後藤は無人の机を見わたした。誰かにたずねようにも、相手がいなくては話にならない。

そのとき、壁のスピーカーからアナウンスが響いてきた。「パーティースカイパレード、定時に実施されます。開始時刻、午前十一時。所要時間、四十分……」

心拍が速まる。この運営部の女性の話では、美装部はパレードの準備に追われているらしい。自分もそこに向かわねば。

「あの、ちょっと」後藤は由美子にいった。「美装部、どこにいけばいいんですかね？」

由美子は怪訝《けげん》な面持ちで後藤をじっと見つめた。「あなた、誰？」

やっと名乗りをあげることができる。後藤は笑顔をつとめていった。「きょうからキャラクターイシューを勤めさせていただきます、後藤大輔《だいすけ》です」

だが、由美子は冷ややかな目のまま、咎《とが》めるようにいった。「出勤したなら、早くIDカードをATRに通したら？」

「ええと……。IDカードって？」

「もしかして、派遣のひと？」

「ええ、まあ」後藤はそういいながら、通行証をとりだした。

ああ、と由美子はいった。「じゃ、タイムカード持ってるでしょ。そこにあるタイムレコーダーに入れて、出勤時刻を記録しなきゃ。あと、シフト表も一枚持っていって」

後藤は振りかえった。過去にいくつかの職場で見かけたものと同じ、味もそっけもないタイムレコーダーが、ひっそりと棚に置かれていた。

マクドナルドで働いていたときと同じだな。内心そうつぶやく。拍子抜けしながらも、懐《ふところ》からタイムカードをだして、機械に挿入した。がちゃりと音がして、カードに打刻される。

タイムレコーダーの隣りに紙の束があった。これがシフト表か。それを手にとると、美装部のメンバーがそれぞれ一日にどの部署で、何時から何時まで働くのかが記されていた。後藤大輔の名もあった。美装二課となっている。これによると、後藤は十一時からのパレードにも加わらねばならなかった。

「たいへんだ」と後藤はいった。「すぐいかなきゃ」

由美子はふしぎそうな顔をした。「じゃ、早くいったら?」

「でも、どこに?」

「パレードの出発点はディスパッチ1に決まってるでしょ」

「それ、なんのこと?」

やれやれというように、由美子は頭をかきむしりながらいった。「ファンタジーランド、ホーンテッドマンションの脇《わき》にあるゲートの奥、そこがパレードの出発点。ディスパッチ1っていうの。そこにパレードビルっていうパレードの発進基地があって、美装部は全員集合してる」

やや沈滞化していた情熱が、ふたたび燃えあがりだす。パレードの発進基地。いま、あの壮大で夢にあふれたパレードが始まろうとしている。そして、自分がそこに必要とされている。

「ありがとう」後藤は由美子にいって、身を翻《ひるがえ》してオフィスを駆けだそうとした。

「あ、ちょっとまって」由美子が呼びとめた。「ネームタグ、そこの箱に入ってるから」

後藤は扉の脇にある箱に目を向けた。たくさんのネームタグが整然とおさまっている。五十音順に並んでいるようだった。自分の名前はすぐに見つかった。後藤大輔。やる気がでてきた。後藤はそれをひったくると、戸口から飛びだした。いってきます、由美子にそう告げた。由美子が高校生の少年ともども、妙な顔で見送ったのを視界の端にとらえた。だが、気にはならなかった。自分は人一倍、情熱に溢《あふ》れている。少しばかり浮いた存在になっても、それは前向きな気持ちのなせるわざだ。敬遠されるようなことではない。

秘密の道

ワードローブビルを飛びだした後藤は、林のなかの小道を奥へ奥へとひた走った。すぐに、オンステージにつづくとおぼしきゲートをみつけた。ゲートの向こうは塀に囲まれた通路が蛇行していて、行く手はみえなくなっている。オンステージからバックステージを覗けないように、そうしてあるのだろう。

ゲート横には警備員が立っていた。後藤はその脇をすり抜けながら警備員に声をかけた。「ディスパッチ1、パレードビルにいってきます」

が、すかさず警備員が手でそれを制した。「まってください、IDカードのご提示を」

押しとどめられた後藤は、困惑しながらポケットをまさぐった。「通行証しかないんだけど」

警備員は後藤の服装を眺めまわした。「美装部のかたですか?」

「そうだけど」

「美装部のかたは、オンステージにはでられません」

「なんだって」後藤は衝撃を受け、辺《あた》りをみまわした。「どの出口からなら、でてもいいんだい?」

「どのゲートからも無理です。美装部のかたは原則として、ゲストの目に触れる場所にでてはいけないんです」

「そんな馬鹿《ばか》な。こんな恥ずかしい服を着せられて、裏方に徹しろってのか?」

「規則ですから。キャストにはそれぞれ役割がありますし」

美装部のものとは異なるコスチュームを着た女の子たちが、ゲートを通っていく。手にしたプラスチックのカード、あれがIDというものらしかった。派遣ではなく本社に採用された証《あかし》なのだろう。後藤の目には、光り輝く魔法のフリーパスにみえた。

「彼女たちは?」後藤は指差して、警備員にきいた。「オンステージにでてもいいのか?」

警備員は平然とうなずいた。「もちろん、パレードゲストコントロールはオンステージで働くのが役割ですから。でも美装部さんは……」

「もういい。わかったよ。だけど、パレードに遅れちゃうよ。どこを通っていけばいいの?」

「ディスパッチ1に行かれるのでしたら、バックステージから……」

ふと後藤のなかにひとつの考えが浮かんだ。その思考に対する興味から、後藤はまたもや胸が躍るのを感じていた。「ひょっとして、噂《うわさ》にきいた秘密の地下トンネルってやつ？　トンネルあるんでしょ、ディズニーランドの地下に」

「あるにはありますけど」警備員は当惑顔でいった。「三本の地下トンネルはどれも料理の運搬専用ですよ。美装部のかたは通れません」

「もう。美装部、美装部って」後藤はいらいらして吐き捨てた。「どうやって行けばいいのさ。こっちからファンタジーランドって遠いじゃん」

「定期バスをご存じないんですか？」

「バス？　まさか外にでて、舞浜駅前のバスに乗れって？」

「ちがいますよ。キャスト専用の定期バスです。バックステージを移動するには、それを使うんです」

後藤はしばし固まったが、次の瞬間には思わず笑顔を浮かべた。高揚した気分で駆けだしながら、警備員にいった。「早く言ってよ」

きょとんとして見送る警備員の視線を背に感じながら、後藤は小道を走った。情熱が、どこか空回りしているようにも思えてくる。いや、そんなはずはない。後藤は頭を振り、その考えを追いはらった。自分は夢の世界で働く人間だ。この職場は希望に満ちあふれている。あの素晴らしい東京ディズニーランドだ、万が一にも期待を裏切るはずがない。

木立のなかに二車線の道路が走っている。バス停は、その道路の傍《かたわ》らにあった。キャストが何人か立っている。派手な装飾の資材を積んだトラックが通り過ぎていった。あれもバックステージ専用の車両なのだろう。キャストたちは、なんら関心をしめさない。色とりどりのコスチュームに身を包んだ男女たちが、ただ無言でバスが来るのを待っている。

後藤がその列に加わってほどなく、バスはやってきた。ディズニーリゾートを走る、あのミッキーマウスのシルエットを模《かたど》った窓を持つ車両ではなく、無味乾燥な使い古しのバスだった。どこかの路線から中古で引きとったものだろう。案外、裏側には金をかけていないようだった。

車内に乗りこんでいくキャストたちは、運転手に声をかけていく。おねがいします、誰もがそう告げている。後藤もそれにならった。おねがいします、運転手にそういって、座席に腰を下ろした。

バスが走りだしてすぐに気づいたのは、この秘密の道路がディズニーランドの外周をぐるりと囲むかたちで存在しているということだった。ディズニーランドのほぼすべてのエリアを、ウェスタンリバー鉄道が周回しているが、このバスはさらにその外側を回っている。鉄道とこの道とは、木立によって隔てられているが、ときおり汽車の警笛がはっきりとした音色で響いてくる。きわめて距離は近いようだった。林のなかに目を凝らしたが、汽車の存在はたしかめられなかった。それも当然だった。ウェスタンリバー鉄道には何度か乗ったが、こんな道路があるなんて、いままで気づきもしなかった。

しばらくしてバスが停まった。妙に思って前方に目をやると、赤信号が点灯している。

じれったく思いながら、後藤は近くにいたキャストの青年にきいた。「なに停まってるんだろ。横断歩道もなければ十字路でもないのに」

青年は、後藤がいままで出会ってきたほかのキャストたちと同様、眉《まゆ》をひそめて見かえしてきた。「ウェスタンランドへの分岐点で、道路がちょっとだけ汽車の乗客からみえるんですよ。汽車が通りすぎるまで、赤信号なんです」

「へえ……。そんなところあったんだ。気づかなかった」

「ときどき外注の業者のトラックなんかが、信号を無視して突っきって、ゲストの目に触れたりすることがあるんです。たったそれだけでクレームの嵐《あらし》ですよ」

ふーん。後藤は複雑な気分になった。バックステージで働くこととはすなわち、ゲストの目からこそこそ逃げまわることを意味するのだろうか。神経をすり減らす労働になるかもしれなかった。

信号が青になり、バスがふたたび走りだした。鉄道とは逆側に、見覚えのあるビルがそびえていた。オリエンタルワールド本社棟。バックステージからもつながっていたのだ。あのときはまだ準社員候補だったがゆえに、わざわざ表から遠回りして社内に入った。次にあの建物に足を踏みいれるのはいつになるのだろう。出世して、正社員にならないかと誘いを受けるときだろうか。

都合のいい妄想に浸りつつバスに揺られていると、窓の外に群衆がみえた。色鮮やかなパレードの山車《だし》がいくつも連なり、その周囲に大勢のキャストたちが群がっている。

パレードか。活気に溢れているな。

ぼんやりそう思った次の瞬間、後藤ははっと現実に引き戻された。パレード。自分はたしか、パレードの発進場所に向かっているはずだ。いまのがそうではなかったのか。

「ディスパッチ1」後藤は隣りの青年に口走った。「僕、ディスパッチ1のパレードビルにいきたいんだけど」

青年は眉間《みけん》に皺《しわ》を寄せ、後方を振りかえった。「いまのがディスパッチ1だけど」

後藤はあわてて立ちあがり、運転手の背に声をかけた。「すみません。降ります」

と、青年が後藤にいった。「ブザーを鳴らさないと」

壁に備え付けてある、降車用のブザーのボタンを押した。路線バスでお馴染《なじ》みの音が響き渡る。その光景は、バス通勤で何度も遅刻をしでかした過去のアルバイトと、なんら変わることがなかった。

運転手は後藤の騒動を聞きつけたのか、次の停留所を待たずにその場で停車した。

運転手がいった。「特別だよ。今度から事前にブザー鳴らしてね」

キャストの女の子らがくすくす笑うなか、後藤は頭をかきながら前方に向かい、開いた扉から車外にでた。

バスが走り去っていく。微風のなか、業務連絡のアナウンスが響いてくる。「パレード開始十分前です。テンミニッツ、プリーズ」

その音声は、パレードビルとおぼしき建物のほうから聞こえていた。山車の周囲の喧騒《けんそう》も風に運ばれてくる。がやがやという声、トランペットや太鼓の音。遠い場所で、祭りの響きがかすかにきこえる。自分はひとり、小道にたたずんでいる。そんな孤独な様相を呈していた。

まいったな。後藤はつぶやいて、いまバスが来た道を駆け戻った。初日から部署に遅刻なんて、まるで格好がつかない。

フロート

パレードビル前の道路に、いくつもの山車が渋滞のごとく連なっている。その周囲を駆けまわるキャストたちは総勢、何百人になるのだろう。原色を多用した艶《あで》やかな色彩の衣装を身につけたダンサーたちが、そこかしこで数人ずつのグループになっている。談笑する者もあれば、ダンスのウォーミングアップに興じる者、あるいはただじっと黙って立ちつくす者もいる。ローラースケートを履いている女たちや竹馬に乗った男たちが右往左往している。

後藤はそんなパレード準備中の喧騒のなかを歩いた。楽器を携《たずさ》えたミュージシャンたちはそれぞれに音を鳴らして準備に入っているが、これがオンステージのゲストの耳に届かないとは驚異だった。たぶん、巧みに場内のBGMによって掻《か》き消されているのだろう。パレードビル自体がワードローブと同様、オンステージにきわめて近い立地ながら、木立によってみえなくなっている。バックステージは驚きの連続だった。なにもかもが新鮮で、ゲストとしてインパークしていたときには想像もできなかった世界がひろがっている。もうひとつの夢と魔法の王国がここにはある、後藤はそんなふうに感じた。

歩を進めていくと、いっぱしに美装部のコスチュームを身につけているせいか、ダンサーたちが笑顔であいさつしてくる。こんにちは。どうもお疲れさまです。モデルのように整った顔だち、スリムなプロポーションの持ち主ばかりのダンサーたちに笑顔を向けられることは、決して悪い気はしない。後藤はすこぶる上機嫌になった。自分の立場も忘れ、みんな頑張っているな、と高みに立った気分で笑いを振りまきながら、パレードの前方へと歩いていった。

先頭の山車の上に、巨大なバルーンが膨《ふく》れあがっていく。それがたちまちのうちにミッキーマウスの形状をなしていく。高さ十メートル以上はあるだろう巨大ミッキーマウスが、そよ風にふわふわと揺れる。その周囲に、赤で統一された衣装をまとったダンサーたちが集い、整然と列をつくりはじめている。

着ぐるみのミッキーやミニーなどはまだ姿をみせていなかった。名も知れない脇役《わきやく》のキャラクターたちの着付けが道の端でおこなわれているのを、視界の隅にとらえる。頭部をかぶる前のキャラクターの胴体から、人間の頭がのぞいている。その光景についてはもう、後藤は意外性を感じなかった。さっきキャラクタールームで着ぐるみは見た。あるべくしてある、そんな風景のひとつに思えた。

巨大ミッキーの山車を越えて、さらに前へ前へと歩いていく。蛇行する道の行く手には、大きな白塗りの観音開《かんのんびら》きの扉があった。見覚えがある。たしかにホーンテッドマンションの脇に、こんな扉があった。いま、自分はその扉を反対側から眺めている。扉が開くと、その向こうはオンステージ。自分はゲストが立ち入ることのできない聖域に足を踏みいれている。

ロール《R》プレイング《P》ゲーム《G》で、いままで侵入できなかった場所にふいに入ることのできた瞬間と同じ興奮が、後藤を包んでいた。こうしてみると、人生はまさにＲＰＧだ。少しばかりの勇気と挑戦が新しい道を切りひらく。かつては夢か幻にみえていた空間が現実になる。

ディスパッチ１のゲートを眺めながら感慨にふけっていると、パレードゲストコントロールとおぼしきコートを着た若い男が、声をかけてきた。「こんにちは。お疲れさまです、美装部さん」

後藤は満面の笑みを禁じることができなかった。ゲートを指差していった。「扉のこっち側に来るのって、いいねぇ。夢にまでみたよ」

はあ。ぽかんと口を開けて後藤を眺める若い男を尻目《しりめ》に、後藤は踵《きびす》をかえしてパレードの列のほうに引きかえしていった。有頂天になってばかりもいられない。自分には割り当てられた仕事があるはずだ。

パレードの先頭で、グレーのコスチュームを着た男たちが集い、ひろげた図面に見いっている。キャスト会議の様相を呈したその場所に、後藤は近づいていった。

ひとりが真顔でいう。「平日のわりには団体が多くて、アストロブラスターのQラインが休日並みに伸びてる。プラザからトゥモローランドに抜ける道幅が狭まってて、ちょっと厳しいって報告が入ってる」

「プランBに道を変えるか」別のひとりがいった。「ただ、石畳があるから竹馬乗り《スティルトウオーカー》をカットしないと」

「無理だな」と、さらにもうひとりが神妙に告げる。「ハニーハント付近のゲストはもう場所取りをしてるから、動かすとなると混乱をきたす。トゥーンタウンへはいつもどおりのルートで入らないと」

どうやら来訪者数が予想以上で、混雑を避けるためにルートを変えるか否《いな》かを議論していたようだった。

後藤は皆と同じく図面を見つめながら、思いついた意見を述べた。「ルートは元のままで、いつもよりややゆっくりと前進していくってのはどうかな。パレードがトゥモローランドに差し掛かるまでに時間が稼げるし、そのあいだにゲストを整理すればいいんじゃない？」

我ながら秀逸なアイディアだと後藤は思った。昔、浅草サンバカーニバルの警備員のアルバイトを勤めたとき、浅草寺《せんそうじ》商店街の混雑のなかにパレードを通すべく、先輩の警備員がそういう方法をとったのを見た。ディズニーランドでも応用できるはずだ。

ところが、自信たっぷりに告げた後藤の発言に、一同は表情を凍りつかせた。怪訝《けげん》な表情を浮かべて、全員が後藤をじっと見つめた。

ひとりがきいた。「失礼だけど、誰だっけ？」

冷ややかな視線を一身に受け、後藤はたじろぎながらも笑顔をとりつくろっていった。「キャラクターイシューの後藤です。きょうから美装部に入った……」

「ああ」ひとりが笑いを浮かべたが、親しみやすさとは別の意味を持つ表情にみえた。「派遣で入った準社員か。道理でなれなれしいと思った」

別のひとりは、露骨に険しい顔をしていった。「やれやれ、また勘違い君かよ。美装部には美装部の仕事があるだろ」

グレーのコスチュームたちは図面を手にしたまま後藤に背を向け、少し離れたところに円陣を組みなおして、ふたたび協議に入った。

後藤は困惑しながらも、その彼らに接近していった。「まだ仕事をおおせつかってないので、よければ手伝いをさせてください」

ひとりが憤《いきどお》ったようすで振りかえった。「美装部のステップ1《ワン》が余計な口だしをするな」

ステップ1。またわからない単語が増えた。どういう意味だろうか。後藤は戸惑いながらきいた。「ステップ1って……?」

「入りたての準社員ってことだよ」もうひとりが後藤に詰め寄ってきた。「本社に美装部の新入りが邪魔をしたって報告するぞ。おとなしく美装部のリードやスーパーバイザーの言いつけを守ってろよ。垣根を越えて偉そうな口を叩《たた》くな」

それは、ディズニーランドで初めて直面した、敵愾心《てきがいしん》むきだしの態度だった。後藤は面くらい、ただ言葉を失ってたたずんだ。グレーのコスチュームたちに取り囲まれ、ひとり孤立を深めている。しかも、彼らの態度はきわめて理不尽なものだった。たしかに専門分野は違ったかもしれないが、これほどまでに自分を嫌う理由がどこにあるというのだろう。

「ったく、しょうがねえな」グレーのコスチュームのひとりが吐き捨てて、辺りを見まわした。「美装部さん！　ほら、そこの人。新入りがひとり、迷子になってるよ」

近くにいた水いろのコスチュームが振りかえった。二十代後半ぐらい、痩《や》せ細ったキャストが多いディズニーランドにあって、男は肩幅も広く、ラグビーか柔道の選手のようながっしりした身体《からだ》つきをしている。眉も太く、一見して体育会系と呼ぶべき風体をしていた。

だが、その外見のわりには高い声を発しながら、男は近づいてきた。「どもども。すみませんね、新人がご迷惑をかけて」

「気をつけてよ」グレーのコスチュームがしかめっ面《つら》でいう。「時間ないんだから、面倒起こさないでくれるか」

「はい、どうもすみません」男はそういうと、後藤を見ていった。「おい、いくぞ。こっちだ」

ダンサーたちが奇妙な目で見つめるなか、後藤はあわてて男の背を追った。男はパレードの後方へと、足ばやに向かっていった。

「見かけない顔だな」と男はいった。「入ったばかりか?」

「ええ、まあ」後藤は男の服装を眺めた。「あなたも美装部ですか?」

「美装二課の尾野広幸《おのひろゆき》だ、よろしく」尾野は笑いひとつ浮かべなかった。「他人の仕事に口をはさむ暇があったら、美装部の仕事に従事しろ。ただでさえ人手が足りないんだ」

「あの人たちがパレードのルートについて相談していたから、意見を述べただけですよ。それなのに……」

「意見なんかだすなよ。おまえの仕事じゃないだろ」尾野がぴしゃりといった。「パレードの監督は正社員の仕事だ。俺たち準社員には、それぞれに与えられた役割がある」

後藤はため息をついた。「わかりましたよ。で、僕らの仕事はどこです」

「向こうだ」尾野はさらにパレードの列の後方へと歩きだした。

尾野に歩調をあわせながら、後藤はきいた。「あなたはどんな肩書きなんですか。ステップ1じゃないですよね」

ふんと尾野は鼻で笑った。「入ったときは誰でもステップ1だ。つづけていれば2、3とあがっていく。ステップ3までなれば、社員と肩を並べるほど仕事のできる者とみなされたことになる」

「で、あなたは？」

「さあな。2と3の中間ぐらいか」

「スーパーバイザーってのとは、違うんですか」

「まだまだそんな役職には就けそうもないな。俺はトレーナーっていう役割だ。おまえみたいな新人にいろいろ指導する責任がある」尾野は足をとめた。「ほら、みろ。ここが俺たちの仕事場だ」

後藤は唖然《あぜん》として立ちすくんだ。

パレードの脇に、大きな布を敷き詰めた箇所がある。その上ではさっき後藤が目撃した、着ぐるみの〝着付け〟がおこなわれていた。後藤にとっては無名に思えるキャラクターたちの着ぐるみを、出演者にせかせかと着せているのは、美装部のコスチュームを身につけた男たちだった。

着付けといっても、その手間は和服どころではなさそうだった。まず綿の詰まったボディパッドを出演者に着せ、身体のラインをキャラクターらしくする。その上から、毛皮のようなボディファーを羽織らせる。長靴よりも数倍大きなブーツを足に履かせ、ボクシングで使う物よりもずっと分厚いグローブをはめさせる。そして、いかにも重そうな頭部をふたりがかりで持ちあげ、出演者の頭にかぶせる。それは着付けと呼ぶより、重量のある荷物をバランスよく積みあげる倉庫番のような体力仕事にみえた。

これが美装部美装二課の仕事か。後藤は昂《たか》ぶっていた心情が萎《な》えていくのを感じた。パレードの監督業務には口出しを許されず、ただ黙々と出演者に着ぐるみを着せるのみ。

後藤は尾野にきいた。「なんでこんなにパレードから離れた場所で着せるんですか」

「着ぐるみってのはな」と尾野がいった。「油性塗料が付着したら落ちないんだよ。見てのとおり、織細なボディファーに覆《おお》われてるんでな。ダンサーが身につけているプラスチックの備品は、きれいな原色を保つためにしょっちゅうペンキを塗り重ねてる。だから接触しないよう、細心の注意が必要なんだよ」

そうですか。後藤はつぶやいた。理由はよくわかったが、にぎやかなダンサーやミュージシャンたちと距離を置かねばならないというのは、どこか寂しいことに感じられた。

そのとき、拡声器の声が告げた。「メインキャストクルーの登場です」

周辺のダンサーやキャストたちがいっせいに後方に向き直り、拍手で何者かを出迎えている。黒のリムジンが数台、徐行してくる。山車《だし》の脇に停車したそれらの車両から、着ぐるみではない人間型のキャラクターが降り立った。王子の扮装《ふんそう》をした白人の男、白雪姫やシンデレラの衣装をまとった白人の女。まるで本当に身分が違うかのように丁重な待遇を受けながら、それぞれの山車へと歩いていく。

後藤は尾野にいった。「なんか、特別扱いされてますね」

尾野はさして興味もなさそうにうなずいた。「フェイスのキャストはみんなそうだ」

「フェイスって？」

「顔出ししてるキャラクターのことだよ。姫や王子の役は、本場のディズニーランドから一年契約で派遣されてくる。高級マンション住まいだし、ギャラもたっぷりもらってる」

「へえ。優遇されてるんですね」

「パレードよりもショーの姫や王子のほうが、ワンランク上の扱いだけどな」

尾野のその言葉の真意は、後藤にもなんとなく理解できた。たしかによくよく目を凝らせば、このパレードに参加する外国人キャストたちはそれほど美形とは呼べない。以前にゲストとしてインパークしたときに観《み》たショーでは、まぎれもなく美人の白雪姫やアリスをまのあたりにした。

六本木のクラブでホール係をしていたころの記憶が、後藤のなかに蘇《よみがえ》った。水商売で働く女たちにも、やや残酷に思えるランク分けがあった。ここにもそんな世界がひろがっているのだろうか。

と、ひときわ甲高い声援と割れんばかりの拍手が響いた。リムジンから最後に降り立ったのは、スーツ姿の小男だった。あきらかに日本人だ。髪はディズニールックに準じているが、整髪料でオールバックに固められている。子供のような背丈ながら、生真面目《きまじめ》そうな顔をさらに硬くしたその表情。ダンサーの女の子よりも低いが、ほっそりとしているうえに頭部も小さいため、体型は総じてスマートで均整のとれた印象がある。対比物を置かずに写真に撮ったら、長身のハンサムに写るかもしれない。

当初、後藤はその男をパレードの最高責任者かと思ったが、それにしてはダンサーたちがはしゃぎすぎている。いったい何者だろうかと後藤は訝《いぶか》しがった。

その気配を察したのか、尾野が後藤にささやいた。「ミッキーマウスだよ」

「ミッキーマウス？」後藤は思わずうわずった声をあげた。「あのいかめしい小男がミッキーマウスですか」

「以前は女の子のクルーがミッキーに入ることが多かったんだがな、アメリカのディズニー本社の意向で、やはりオスのミッキーには男が入ったほうがいいってことになったらしい。彼の演じるミッキーは完璧《かんぺき》だよ。正社員だし、高給取りだ。いかに厳しい競争を勝ち抜いてあの役を射止めたかが、うかがい知れる」

ミッキー役の男は、周囲の女の子たちの声援にもわき目をふらず、しかめっ面のままパレードビルへと突き進んでいった。

　後藤は尾野にきいた。「彼、どこにいくんですか」

「プロップスっていうパレード用の楽屋で着付けをする。準社員たちが、ミッキーやミニーはキャストたちにも見られない場所で着付けをおこなう。ミッキーの中に入っている人間について話したり、噂《うわさ》が外部に広まっていくのを防ぐためだな」

　バックステージにもいくつかの段階がある。キャストであっても、準社員には極力知らせずにおこうとする秘密の領域が存在する。どうやらそういうことらしかった。それらの秘密は、出世とともに解き明かされていくことになるのだろう。ステップ１から２、そして３へと、まさにＲＰＧのレベルアップのように、この世界での視野が広まっていくにちがいない。

　よし、と後藤は闘志が湧《わ》き立つのを感じながら、パレードビルに向かって歩きだそうとした。

「おい」尾野が呼びとめた。「どこにいくつもりだ」

後藤は足をとめ、尾野を振りかえった。「ミッキーマウスの着付けですよ。僕らの仕事でしょ」

尾野は呆《あき》れたような顔で後藤をみた。「主要キャラはステップ3か、正社員が着付けをするんだよ。俺たちの仕事はこっちだ」

後藤は、尾野にうながされてさっきの場所に戻るしかなかった。道の脇《わき》で、名も知らないキャラの着付けをおこなう美装部の人々。後藤はその一員だった。

布の上に並んだ着ぐるみの頭部を眺めて、後藤は不満を口にした。「カスキャラじゃん」

ところがそのとき、首から下の着付けが終わったクルーが怒ったようすでいった。

「カスとはなんだ。『不思議の国のアリス』のトゥイードルダムだぞ。さっさと頭をかぶせろ」

釈然としない気分で、後藤は頭部のひとつに手を伸ばし、持ちあげようとした。かなりの重量だった。これを被《かぶ》らねばならないクルーの心労が、じかに両手につたわってくるようだった。

「それじゃないよ」クルーは怒鳴った。「それは双子《ふたご》のトゥイードルディーの顔だ。俺はディーじゃなくダムのほうだ」

「はいよ」と尾野が、ほかの美装部の人間と一緒にもうひとつの頭部を持ちあげ、クルーの頭にかぶせた。「リング、頭にちゃんと乗ってるかい？　ぐらつくようなら、タオルをはさんだほうがいいけどな」

着ぐるみのなかから、くぐもった声が応じる。「いや、これでいい」

尾野が後藤に向き直った。「おまえ、七人の小人の名前知ってるか」

「ええ」後藤はいった。「ええと、笑っているやつと、怒りんぼってのと……」

「正確な名前だよ」尾野は顔をしかめた。「スリーピー、ドーピー、ドック、スニージー、グランピー、バッシュフル、ハッピー。どれもジャケットやスラックスのいろが違う。間違った組み合わせで着せてしまったら、俺たちの責任になる」

これにはぐうの音もでなかった。後藤はつぶやいた。「勉強します」

「頼んだぞ」尾野は頭をかきながらいった。「じゃ、あとの着付けを済ませちまうか」

現実

それからの数分間、後藤は予想をはるかに超えたペースでの重労働に身を投じた。パレード開始時刻が刻一刻と迫るなか、数十体ものキャラクターの着付けをおこなわねばならない。どうやらクルーたちの体力を考慮して、重い着ぐるみを着せるのはパレード開始の寸前ときまっているらしかった。しかしそれは一方で、美装部の人間に苦労を強いる取り決めでもあった。

後藤はクルーたちのあいだを駆けまわり、頭部を持ちあげてかぶせては、背中のファスナーを締め、グローブをはめさせた。それも、乱雑な作業をおこなうと体型が崩れたり、ファスナーが締まらなかったりするなどの弊害《へいがい》が起きる。その場合は着ぐるみを脱がせて、最初からやり直しになる。初心者の後藤は何度もその失態を繰りかえし、クルーに迷惑がられることになった。

わりと人間の体型に近いキャラクターはまだ楽に着付けができる。問題は、怪獣のように巨大な着ぐるみだった。後藤がまだ名前を知らないタコやワニ、クジラのようなキャラクターは、美装部とクルーの双方にとって著しく体力を消耗する着付け作業になった。着ぐるみの構成も複雑で、タコの場合は頭部を先にかぶり、それから放射線状にひろがった脚を両肩で支えるようにして身につける。重量は全体で八十キロ以上あると尾野はいった。へたをするとバランスを崩して倒れてしまう。中に入るクルーの顔は真剣だった。実際、山車の上から転がりおちることでもあれば、ゲストの夢を壊すだけの被害に留まらないことはあきらかだった。

無限に思えるほど大量の着付けをおこなったにもかかわらず、後藤が記憶しているような有名なキャラクターの着ぐるみは、とうとう最後まで一体も触れることがなかった。

ミッキーやミニーはもちろん、ドナルドやデイジー、プルート、グーフィー、〝おしゃれキャット〟マリーといった主要キャラから、『Mr.インクレディブル』『トイ・ストーリー』『モンスターズ・インク』の主人公たちまで、一見してメジャーとわかるキャラクターはすべてパレードビルのなかで着付けがおこなわれ、完全にキャラに変身したのちに外に姿を現した。後藤らが着付けをおこなう路上組は、こんなやつパレードにいたっけ、そんなふうに首をかしげるようなマイナーキャラクターばかりだ。

当然、ダンサーやミュージシャンからの注目度も低かった。ゲストばかりでなく、身内にまでそっぽを向かれるとは、まさに不遇のキャラたちに相違ない。その着付けを担当する後藤らもまたしかりだった。

美装部の仕事は着ぐるみに関することばかりではなかった。水いろのコスチュームはあちこちの山車に散って、ダンサーたちの服装や髪型を整えたり、姫や王子の衣装の皺《しわ》を伸ばしたりしていた。ほつれた衣装を縫っている人間もいる。美装部のメンバーはいずれもハサミや櫛《くし》を手にしていた。どうやら全員がコスチュームのなかにそれらの道具をおさめているらしい。後藤は自分のコートの内張りをみた。ハサミが入りそうな大きなポケットがついている。ほかにも小物をいれておくらしい小さなポケットがいくつもある。道具を持たない後藤は、ひたすら先輩の部員たちの求めに応じて山車のあいだを駆けめぐり、渡された道具を運んだり、伝言をつたえるのに徹するしかなかった。汗だくになって働いている美装部のメンバーを見ると、いたたまれない気持ちになってくる。自分が道具を用意していれば、彼らの苦労を少しは和らげることができたのに。

パレード開始一分前のアナウンスが響いたころ、ようやくミッキーマウスがパレードビルからでてきた。後藤は呆気《あっけ》にとられた。

その軽妙な身のこなし、笑顔にさも似つかわしい漫画映画《カートゥーン》のような素振り、どれをとっても完璧なミッキーマウスだった。あのなかに、さっきの頑固そうなしかめっ面《つら》の小男が入っているのだろうか。その変身ぶりはまさしく驚異的だった。

ミッキーはリフトで山車の上に運ばれると、腰のベルトに命綱を連結された。ふと気になって、後藤は後方の山車に目を向けた。あのタコのようなキャラに、命綱を連結できる部品がついていただろうか。たしかなかったと思うが。

「パレード、スタート十秒前」カウントダウンが流れる。「……三、二、一、音楽入ります」

壮大なパレードのテーマソングが流れ、山車がゆっくりと動きだす。まだゲストの目に触れてはいないが、キャラクターたちは音楽にあわせて踊りだしていた。ミッキーマウスも陽気に振る舞っている。

あのなかに、さっきの男が。後藤はまだ信じられない気分だった。

ダンサーたちが踊りながら山車を先導していく。ディスパッチ1から掃きだされていくパレードの列を、後藤はしばし見守った。なにもかもが現実の断片の寄せ集めでしかなかった雑多な集合体が、いま見事に幻想の世界を演出する一要素となって、オンステージに旅立っていく。

最後の山車が消えていくと、辺りは急に静かになった。

胸にぽっかりとあいた空虚さを残したまま、後藤はしばしその場にたたずんでいた。次は、どんな仕事が待っているのだろう。ぼんやりとそう考えた。

しかしそのとき、ぶらぶらと立ち去っていく尾野の姿が目に入った。後藤は尾野を追いかけて、声をかけた。「どこへいくんですか」

尾野は歩きながらいった。「パレードが戻ってくるのはディスパッチ2だ。そっちへ行くんだよ」

「じゃ、急がなきゃいけませんね」

「そんなに張りきるなよ」尾野は気だるそうにつぶやいた。「フロートはスポーツカーじゃねえんだ」

「フロートって、ああ、山車のことですか」

「山車だなんて、ねぶた祭じゃねえんだからさ。とにかく、フロートは徐行速度を厳守してる。パレードが一周するには三十分以上かかる。のんびりいこうや」

歩き去っていく尾野の背を、後藤は複雑な思いで眺めた。

振りかえると、あのグレーのコスチュームの正社員たちはトランシーバーで各部署と連絡をとりあっていた。ひとりの視線が後藤に向く。さっき後藤に冷ややかな態度をしめしたうちのひとりだった。まだいたのか、さっさとディスパッチ2に行け。そういいたげな視線を後藤に投げかけると、こちらに背を向けて立ち去っていった。

後藤はむっとした。こちらも全力で働いたのだ、ねぎらいの言葉がひとつくらいあってもよさそうなものだ。実際に汗だくになって労働に身を捧《ささ》げているのは準社員たちだというのに、社員は図面を片手に命令を発するばかりで、お山の大将を気どっている。

不満とともに、後藤は駆けだした。尾野に追いつくと、さっそく不平をこぼした。

「僕たち、意見をだすことも許されないんですか。現場で感じたことを企画に反映させることも重要だと思うんですけど」

尾野の返事はしかし、そっけないものだった。「着せて脱がせる、それだけなんだよ。美装部の仕事は」

パレードビル前から遠ざかろうとしたとき、尾野が足をとめた。その視線の先には、ひとりの美装部員がいた。

高校生ていどにみえる女の子だったが、美装部のコスチュームを着ているからには、年齢は十八よりも上なのだろう。色白で痩《や》せ細った身体《からだ》つきは、体力勝負のこの部署には似つかわしくないように思える。ダンサーのような美人顔だが、表情は沈んでいた。困惑したようすで路上にしゃがみこんで、置いてある着ぐるみの頭部に紙きれを貼《は》りつけている。

「恵里《えり》」尾野が小走りにそちらに向かっていった。「あーあ、またやっちまったのか」

恵里と呼ばれた女が顔をあげた。途方に暮れた顔で、救いを求めるような目を尾野に向ける。恵里は小声でつぶやいた。「申しわけありません」

「ったく、ひとりで着付けしようなんて思うからだよ」尾野は前かがみになって、着ぐるみの頭を眺めた。「女の子は道具運びか、手間のかからないことをやってりゃいいんだよ。無理するなって、あれほどいったろ？」

後藤はゆっくりと近づいていった。着ぐるみの頭は、片方の耳が破損している。着付けの最中に地面に落としてしまったのだろう。貼られた紙には『損壊《そんかい》連絡票』とあり、不具合の欄に『片耳破損』と手書きで記入されていた。

恵里はあわてたようすで立ちあがり、尾野に深々とおじぎをした。「ほんとにごめんなさい。時間に間に合いそうもなかったので、手伝わなきゃと思って……」

尾野はちらと後藤を見てから、恵里にいった。「ま、きょうから人手も増えたことだし、少しは楽になるだろ。重い着ぐるみの着付けは、遠慮せずに俺たちを呼んでくれよ。パレードの出発時間に間に合わなかったら、それは部全体の責任になっちまうからな」

「はい。どうもすみませんでした」恵里は頭をさげたまま、涙声でつぶやいた。

「じゃ、壊した頭部《ヘッド》はパレードズーに運んでおけよ」尾野はそういって、頭を垂れたままの恵里を残し、さっさと歩きだした。

後藤は当惑した。恵里は顔に手をやり、肩を震わせている。泣いているようだ。重くて持ちきれない頭部を落としてしまったのに、運搬をひとりでおこなえとは、少し酷ではなかろうか。

足早に進んでいく尾野を追いかけて、後藤は声をかけた。「ちょっと可哀《かわい》そうじゃないですか、彼女？」

「おいおい」尾野はうんざりしたようすで後藤をにらみつけた。「おまえ、職場に文句ばっかりつけてるんじゃねえよ。現実ってものをみろ」

後藤は面くらって口ごもった。「現実、ですか」

「そうだよ。準社員の現実ってもんを知るこった。さ、お茶の時間だぜ」

立ち去る尾野の背をしばし見つめる。現実。その言葉が妙に重く感じられた。

振りかえってみると、恵里はもうさっきの場所にはいなかった。パレードビルの玄関、着ぐるみの頭部を重そうに抱えながら入っていく恵里の姿があった。足もとをふらつかせながらも、けなげに仕事をこなそうとしている。

尾野はどうして彼女に手を貸そうとしないのだろう。そもそも、なぜ恵里はあれほどまでに頑張るのだろうか。ほかにも部署があるはずなのに、どうして裏方の美装部にまわされているのか。

「後藤。いくぞ」尾野の声が飛んできた。

はい。後藤は返事をして駆けだした。やわらかい午前の陽射《ひざ》しが、バックステージに入る前とは少し違って感じられる。辺り一帯を明るく照らしだしておきながら、どこか冷ややかで肌寒い。そんなふうに思えてならなかった。

Qライン

尾野につづいてキャスト専用のバスに乗りこむと、車内には後藤らと同じ美装部のコスチュームを着た男がふたりいた。ひとりは後藤とほぼ同じ年齢にみえるが、もうひとりはあきらかに上だった。尾野よりもさらに年上、三十近くみえる。筋肉質の尾野にくらべて、その男はほっそりとして、どこか神経質そうな顔つきをしていた。

「よう、どうもご苦労さん」尾野はふたりにあいさつすると、対面の席にどっかりと腰をおろした。

コスチュームに似合わず、さも肉体労働という感じの言動。だが車内にいたふたりも、そんな尾野の態度に違和感を覚えてはいないようだった。

若いほうの男はトランシーバーを手にしていて、小声でなにやら連絡をとっている。美装部の男性部員にしては色白で、やや女性的な顔だちのその男は、トランシーバーのスイッチを切って周囲にいった。「パレードが定時にファンタジーランドからプラザにでました。念のため、プラザのサウスセンターからの情報もきいておきましょうか」

「いや」尾野は苦笑ぎみに首を振った。「そこまでは心配いらねえよ。こんな晴天じゃ遅れようもねえだろ。正社員さんはもっと余裕かましてればいいんだよ」

ぞんざいな物言いだが、その若い男は気を悪くしたようすもなく、尾野同様に苦笑いに似た笑顔を浮かべただけだった。

後藤はまだ通路に立っていたが、バスが動きだし、前につんのめりそうになった。しかし、誰も席を勧めてはくれない。しかたなく、尾野から少し離れた場所に腰をおろした。

しばらくのあいだ、四人の美装部員は無言でバスに揺られていた。後藤も沈黙を守った。ききたいことは山ほどあるが、また尾野に叱咤《しった》されそうな気がする。仕事は見て覚えるしかなさそうだった。ディズニーランドといえばマニュアルと研修の嵐《あらし》ときいたことがあるが、美装部は例外のようだった。ここでは、妙に職人気質《かたぎ》な人間関係が構築されている。

バスがゆっくりと停留所に停まった。尾野たちはまだ腰を浮かせようとはしない。降車する者はひとりもなく、逆にひとり乗車する人間がいた。やはり美装部のコスチュームを着ている。

見覚えのある男だと後藤は思った。あの最終面接にいたふたりのうちのひとりだ。スーパーバイザーの早瀬といっていた。後藤は居住《いず》まいを正したが、ほかの者たちはくつろいだ姿勢のまま、どうもご苦労さま、気安い声でそうあいさつしただけだった。

早瀬は、面接のときとは対照的に、緊張感のないにやついた顔で片手をあげて歩いてくると、尾野の隣りに座った。「はーやれやれ。おしゃれキャット〝マリー〟は人気あるねぇ」

尾野がきいた。「オンステージに出ておられたんですか」

「そう。表にでない美装部員が特例でね」早瀬はため息をついた。「マリーのファスナーが調子悪くて、よく壊れるから。万一に備えて付きっきりで世話したよ」

「よかったですね」尾野がいった。「万一の事態が起きなくて。着ぐるみが脱げたりしたら大ひんしゅくですよ」

早瀬は笑った。「そこまではいかんよ。ほんのちょっと体型が歪《ゆが》んだだけで、異常を察知して、さっとマリーの後ろに近づいてこっそり直してしまうさ。私はきみらより経験豊富だからな」

一同にさして面白くもなさそうな笑いが沸き起こるなか、後藤はただ黙って早瀬を眺めていた。

なんだろう、この男の変わりようは。まるっきり威厳がない。スーパーバイザーといいながら、やはり着ぐるみの世話をしているらしい。察するにパレードで部員の手がふさがっていたため、管理職の人間がみずから現場に赴いたのだろう。若くしてまるで中年サラリーマンの世界ではないか。

黙っていても始まらない。後藤は腰を浮かせて早瀬に近づいていった。「あの……」

早瀬はぽかんと口を開けて後藤を見あげていたが、やがて曖昧《あいまい》に応じた。「やあ、きょうから出勤か。ええと、鈴木、じゃなくて、佐藤、でもなくて……」

「後藤です。後藤大輔《だいすけ》です」

「そうだった、後藤ね」と早瀬は膝《ひざ》をぽんと叩《たた》き、車内の一同を見わたした。「みんな、新人君だよ。きょうから美装二課に入った後藤大輔君。ええと、彼はキャラクター係でマネージャーの河内信也《かわちしんや》君」

三十近い神経質そうな男が、初めて後藤と目を合わせ、会釈《えしやく》をした。妙に肩身の狭さを感じさせるその素振りは、会社でいえば中間管理職の典型的な態度にみえた。

早瀬は尾野を指ししめした。「そちらは、きみの上司になるトレーナーの尾野広幸《ひろゆき》君」

尾野は目を逸《そ》らしたまま、物憂《ものう》げにいった。「もう自己紹介は済んでますよ」

「そうかい」早瀬は次に、トランシーバーを持った若い男を指差した。「彼は笹塚昭雄《ささづかあきお》君。このなかでは唯一《ゆいいつ》の正社員だけど、まだ研修中でね。年も後藤君と変わらないんじゃないか?」

「二十二です」笹塚は立ちあがり、後藤をまっすぐに見つめてからおじぎをした。「よろしくお願いします」

美装部なるものに配属されてから、初めて受けたまともなあいさつだった。後藤はあわてておじぎをかえした。「こちらこそ、よろしくお願いします」

顔をあげたとき、後藤は視界の隅に、河内が苦い顔をしてうつむいているのを見てとった。早瀬を除けば最年長者の彼も準社員なのだろう。年下の正社員を快く思っていないのか、露骨に顔をそむけている。

現実か。後藤はいっそう気持ちが沈んでいくのを感じた。たしかにこのバスのなかにあるのは、現実の世界の軋轢《あつれき》やエゴのぶつかりあいに相違ない。仲良くみせているのもうわべだけにすぎず、それぞれの葛藤《かっとう》が見え隠れしている。

「そして」早瀬が後藤に向き直った。「私が美装二課長の早瀬実。専業準社員でほぼ連日出勤してるメンツは、だいたいこれだけでね」

「これだけ?」後藤は驚きの声をあげた。「大勢のキャラやダンサーのスタイリストを勤める主要メンバーが、これだけですか」

「スタイリストねえ。かっこいい呼び方だな」早瀬はどこかおどけたような態度でいった。「人員が不足してるからこそ、派遣会社がきみを寄越したわけだよ。ま、キャストのコスチュームについちゃ一課のほうが担当してるから、そっちは気にかける必要はないよ」

さっきのパレードの準備には、あと何人か美装部の人間がいた。早瀬の話によると、彼らの出勤は流動的なのだろう。派遣会社が事前に、後藤の美装部配属を承知していたかのような物言いも気になる。派遣で入るような人間は即、美装部行きという常識でもあるのだろうか。そういえば、派遣会社の寄越した通行証をみた人間はみな、後藤を美装部員ときめてかかっていた。

すべては、なるべくしてそうなる運命にあったのだろうか。着せて脱がせるだけの仕事だと尾野はいった。自分にはそれ以外、なにもさせてもらえないのだろうか。

早瀬が尾野にきいた。「パレードのほうは?」

「定時」と尾野がぶっきらぼうに応じた。「無風。順調」

「じゃ午後も風パターンってことには、なりそうにもないな」早瀬はうなじを掻《か》きむしりながらいった。「ほかにはなにか、問題とかある?」

河内が片手をあげた。「パレードミッキーのなかに入ってる久川庸一《ひさかわよういち》さんの名前が、ネット上などで噂《うわさ》になってるみたいです。クルーの名前だとか、バックステージのことはくれぐれも口外しないようにお願いします。通勤中の電車のなかで、ゲストが聞き耳を立てていることもありますから、注意してください。夢は壊さないように」

はいよ。尾野が投げやりな返事をした。ほかの面々も、気のない返答の声をあげた。

久川庸一、あのミッキーマウス役を勤める硬い顔の小男はそういう名前か。しかし、なんの役にも立たない情報だった。彼の着付けはステップ1の自分にはまかせてもらえない。彼は座長で、自分は末端の雑役係。今後、久川のもとに近づくことさえありえないように思えた。

バスが停まった。運転手の声が響いてくる。「ディスパッチ2です」

尾野がぶらりと立ちあがり、前方に向かっていく。ありがとうございました、運転手にそう告げて降車していった。つづいて残りの美装部員もバスを降りていく。お茶の時間だ、コーヒー飲もうや。口々にそんな声をあげていた。

後藤は最後にバスを降りた。山車《フロート》がぎりぎり通れるていどの幅の道路が、林のなかを蛇行している。そのさきには、ディスパッチ1と同様にゲートがあるのだろう。

パレードの終点は、たしか以前にインパークしたときに偶然目にすることができた。

ハニーハントの裏、トゥーンタウンのなかにゲートがあって、パレードはそのなかに消えていった。蛇行する道はバックステージの奥をみせないためだったのだろう。ここディスパッチ2は、そのトゥーンタウンのゲートのことに違いなかった。

いま、バックステージの路上にまだひとけはない。後藤以外に、ゲートに関心を持っている人間もいなかった。尾野や河内、笹塚らは道路の脇《わき》にある従業員食堂のテラスへと向かっていく。到着までまだ時間があることを身体《からだ》で感じとっているのか、時計を一瞥《いちべつ》することさえない。

テラスから、けさ美装部のオフィスで顔を合わせた女がでてきた。運営部運営課の桜木由美子《ゆみこ》だった。きょろきょろと辺りを見まわすと、早瀬に目をとめ、足早に近づいていく。由美子は早瀬になにか深刻な顔で話しかけていた。

自分もスーパーバイザーに不満をぶつけておこうと後藤は思った。とにかく、このまま美装部の仕事だけに埋没する日々を送るのは耐えられそうにない。

そう思って後藤は、早瀬と由美子のもとに駆け寄った。「早瀬さん。やりがいのある仕事、なにかないですか」

「やりがいのある仕事?」早瀬は目を丸くしていった。「せっかちだな、きみは。心配しなくてもあと十五分も経《た》てば、パレードから帰ってきた連中の着ぐるみを脱がす作業で忙しくなるよ。キャラごとに仕分けして、乾燥機にいれておくようにね」

「いえ、そうじゃなくて……。なにかこう、もっと夢を与えられる仕事をしたいんですよ。ディズニーの精神にのっとった、子供たちが希望を感じられるような」

「はて。なんだろうな」早瀬は首をかしげた。「美装部だって、ディズニーランドの立派な仕事のひとつだよ」

「それはわかってますけど……。じっとしてられないんですよ。一週間もやる気に溢《あふ》れてて、ずっとバックステージに引き籠《こも》ってるなんて、ちょっと耐えられないんです」

そのとき、由美子が早瀬にいった。「ちょうどいいじゃないですか。この人に手伝ってもらえないでしょうか？」

「あん？」早瀬は後藤に目を向けた。直後、満面の笑顔を浮かべていった。「そうだな、それはいい。じゃ、彼を連れていきなよ」

後藤は戸惑いながらきいた。「なんですか？」

由美子が硬い顔をしていった。「〝シンデレラ城ミステリーツアー〟のQラインが異常に長くなってて、九十分待ちなの。キャストが足りなくてツアーがうまく回せてないし、美装部なら手が空《す》いているかなと思って」

Qラインという言葉は、さっきパレードビル前で正社員も口にしていた。由美子の口ぶりからするとおそらく、Qラインとは客の列を意味しているらしい。後藤は頭のなかでメモをとった。まるで外国語の習得だ。

後藤はたずねた。「ほかの部署の手伝いをしてもいいの？」

「ええ。スーパーバイザーの許可があれば」由美子の顔は真剣だった。後藤から早瀬に目を移して、由美子はいった。「午前中の混雑を解消できれば、午後からのシフトは再考できます。お願いします、イレギュラーが発生してからじゃ、取りかえしがつきません」

「でも」後藤は困惑していった。「パレードが帰ってくるし……」

「だいじょうぶだよ」早瀬は軽い口調で告げた。「脱がせるのは着せるときほど急がなくていいから、なんとかなるんだよ。いいじゃないか、シンデレラ城。夢を与える仕事がしたいっていってたろ？」

「ええ、たしかにそういいましたけど……」

ふいに由美子が後藤の肩をぽんと叩き、身を翻《ひるがえ》して走りだした。「急いで。パレード終了前に取りかからないと、Qラインがさらに伸びちゃうし」

後藤は困り果てて立ちすくんだが、由美子の背は遠ざかるばかりだった。早瀬に目をやる。早瀬は、行けと目で合図している。

しかたがない。後藤は走りだして由美子に追いつきながらいった。「〝シンデレラ城ミステリーツアー〟なんて、どうやっていいのかわからないよ」

由美子は駆けながらきいてきた。「ゲストとしてアトラクションに入ったこともないの？」

「そういうわけじゃないけど。セリフとか覚えてないし」

「誰があなたにツアーガイドを勧めろっていった？」

当惑が深まる。後藤はため息まじりにいった。「ガイド以外のキャストって、列の整理とかそういうの？」

「列の整理も重要な仕事」由美子はそういって、走る速度をあげた。息ひとつ乱れない。痩《や》せた身体に似合わず、かなりの肺活量を誇っているようだった。

食堂のテラスでぼんやりとこちらを眺めている、尾野たち美装部の面々の顔がちらとみえた。なにをはりきってるんだ、あの新入り。そんなつぶやきが耳に届くかのようだった。

かまうか、と後藤は思った。自分は別の部署から声がかかった。これを機に業績をあげて、ほかへの転属を申しでるのも悪くない。そう、配属先が予想と違ったからといって、うな垂れている場合ではない。未来は自分で切りひらく。ＲＰＧはまだ始まったばかりだ。

サイクリング

さっき降車したばかりのバス停に舞い戻った。後藤は道の左右を見まわしたが、車両の姿はない。一緒にディスパッチ2から駆けてきた由美子に、大声で怒鳴る。「バス、まだ来ませんね」

ところが由美子のほうは、バス停を通り過ぎて木立のなかに分け入っていった。どうしたのだろう。バスに乗らないのだろうか。後藤は妙に思って由美子を追った。するど、林のなかに自転車置き場があって、キャスト専用らしい自転車が数台停めてあった。

由美子が一台をひっぱりだして路上に向かわせた。後藤とは目も合わせようとしない。

後藤は苦笑ぎみに声をかけた。「自転車で行くの？」

なおも由美子は反応をしめさなかった。さばさばした顔で自転車にまたがり、ペダルを漕《こ》いで道路を進みはじめる。

あわてて後藤も一台の自転車を借り、それに乗って由美子の追跡をはじめた。すぐに由美子に追いつき、速度をあわせて横に並んだ。ちらと由美子の横顔をみる。由美子はただまっすぐに前を見据えていた。

「いつもこんな調子なの?」後藤はペダルを漕ぎながら由美子にきいた。

「休日はこんなもんじゃないわ」由美子は無表情にいった。「でも、平日ものんびりとはしてられない。バスの到着を待ってる暇があったら、自転車で行ったほうが早い」

後藤の悠長さを咎《とが》めているような口ぶりだった。しかし、彼女の言いぶんのほうが正しいのだろう。少なくとも、きめられたこと以外は積極的に手を抜こうとする尾野たちよりは、由美子のひたむきな態度は好ましく思えた。

やっと職場の同僚となるべき人間がみつかった。そう感じながら、後藤は由美子にいった。「早瀬さんって、スーパーバイザーなのに着ぐるみの世話をしてたみたいだけど……」

「手が空いているなら誰でも働くの」由美子はさして関心もなさそうに応じた。「役職なんて関係ない。リードやスーパーバイザーになったからって、準社員の分際で威張っていると、正社員からマイナス査定を受けるだけ」

「へえ。なんだか夢のない話だね」

「夢があるのはオンステージ。バックステージにあるのは現実だけ」由美子は淡々といった。「すべては手作り。わたしたち準社員は、その底辺を支えてる」

赤信号がみえてきた。ウェスタンリバー鉄道の陽気な汽笛が、木立の向こうにこだまする。由美子は自転車を停めた。後藤も並んで停まった。

「でも」後藤はいった。「準社員といっても、やりがいに満ちた仕事はたくさんあるんでしょう？　そうじゃなきゃ、こんなに大勢の人が働いてないよね」

「どうかなぁ」由美子の声は気だるそうだった。「ディズニーランドで働きたいって希望する人は毎年、絶えることがないの。そのなかで採用されて働きはじめて、合わないって感じた人は辞めていくだけ。補充はいくらでもいる。だから待遇もあまり変わらない。出世が約束されてる正社員と、準社員はちがう」

後藤は意外に感じて由美子をみた。やる気満々にみえた由美子がさらりとこぼした愚痴。いままで目にしたあらゆるものよりも、意味深い現実が潜んでいる気がした。

由美子の表情はしかし、依然として変わらなかった。信号が青になると同時に、ペダルを漕ぎだす。特に嬉《うれ》しそうでもなければ、さほどおっくうに感じているようすもない。そのさまは、女子高生の通学風景を彷彿《ほうふつ》とさせた。

後藤も自転車を進ませた。「美装部にも正社員がいたよ。笹塚昭雄《ささづかあきお》君だっけ」

「彼は本社の新入社員よね。研修中だから、いろんな部署を転々としてるの。何年かすれば背広組」

「いまのところは尾野さんのほうがいばってるけどね」

そうね、と由美子は微笑した。初めてみせた笑顔だった。「彼は美装部ひとすじのベテランだから。もう七年もつづけてるっていうし」

ふうん。後藤はつぶやきながら、心のなかに蔭《かげ》がさすのを感じた。七年。着せて脱がす、それだけの仕事をこなしつづけ、トレーナーなる肩書きを得てもなお、仕事の内容は変わらない。変わりようがない。自分の行く末にもそんな運命が待っているのだろうか。

ディスパッチ1、パレードビル付近を通過した。さっき無数のフロートが待機して賑《にぎ》わっていたビル前の路上は、いまはひっそりとしている。そこに藤木《ふじき》恵里が立っていた。向かい合わせて立つ上司らしき男にどやされて、うつむいている。何度やらかせば気が済むんだ、上司が怒鳴る。すみません、恵里が涙声で応じながら、頬《ほお》をしきりに拭《ぬぐ》っている。

自転車の速度をできるだけ落としてみたが、見えたのはそこまでだった。由美子の自転車を追いかけて話しかける。「あの子、着ぐるみ壊したのは初めてじゃなかったのかな」

「ああ、藤木恵里ちゃんね」由美子がいった。「かわいそうにね。美装部なんて、あの子には合わないと思うんだけど」

「どうして辞めずに働いてるんだろ」

「恵里ちゃんはダンサー志望でね、キャスト向けのオーディションを受けてるんだけど、いつも落とされちゃってて。でも夢を捨てきれずにつづけてるとか、そういうことじゃないのかな」

夢。自分の希望とはかけ離れた部署に在籍しながらも、まだ夢を追いかけている人間がいる。しかしその苦痛は半端《はんぱ》なものではない。あの彼女をみていれば、そのことが嫌というほどわかってくる。思わず目をそむけたくなる。恵里の姿と自分の明日がだぶって感じられた。

後藤は暗い気分になった。高圧的な態度をとっていた恵里の上司や、先輩風を吹かす尾野。長年頑張ったとしても、自分が将来なりえる姿はあんなものだろうか。そうでないとするなら、その保証はいったいどこにあるというのだろう。

サクラ

〝シンデレラ城ミステリーツアー〟は、以前にゲストとして体験したとき、きわめて妙なアトラクションとして後藤の記憶に刻みこまれていた。

なにしろシンデレラ城といいながら、ゲストが案内されるのは暗く狭い地下道ばかりで、それも魔物が支配しているとか、太古の財宝が眠っているとか、挙句の果てには魔王を勇者の剣で倒すという展開になり、勇者に選ばれたゲストは景品としてメダルを授かるのだ。

かつて中学生のころ、後藤は当時の恋人とそのアトラクションに足を踏みいれたことがあった。すべてが終わって城の外にでたとき、彼女がつぶやいたひとことがいまでも忘れられない。

シンデレラ関係ないじゃん。彼女はそういった。後藤も、戸惑いながらも同意せざるをえなかった。

桜木由美子《ゆみこ》とともにアトラクションの入り口に駆けつけたとき、客列《Qライン》はかなり伸びて付近一帯は大混雑だった。後藤はこのアトラクションを切り盛りしているトレーナーに引き合わされたが、トレーナーは後藤の服装を一瞥《いちべつ》するなり、ロッカールームに入って着替えをするように命じてきた。

ロッカールームは城の一階、アトラクション入り口の扉の脇《わき》に隠されていた。そのトレーナーが着ているのと同じコスチュームに着替えるのかと思いきや、用意されていたのはごくありきたりのチェック地のシャツにジーパンという服装だった。後藤は奇妙に思い、ロッカールームの扉越しにトレーナーに問いかけたが、トレーナーは「それでいい。さっさと出てきてくれ」と声をかえすばかりだった。

いかにも一般のゲストという外見になった後藤は、由美子から仕事のあらましをきいた。きょうのように大人の団体客が多い日は、子供の姿が埋もれてしまい、アトラクションの最後の部屋で勇者を選別しようとするキャストの目に触れないことが多い。それも、東京ディズニーランドとしては、勇者のメダルはできるだけ子供にとらせたい。それも、勇者というからには女の子よりも男の子を優先したいという意向があった。

そこで、この種の混雑時にはキャストのひとりがサクラになってツアーに同行し、子供の存在を合図でキャストに知らせることになっているのだという。後藤の役割はそのサクラのひとりだった。

オンステージの仕事とはいえ、自分がキャストであることは隠さねばならず、それもツアーのほとんどはただ同行するだけで、最後の部屋でキャストに指で合図をつたえるだけ。さして面白みがある仕事でもなかった。

後藤は準備中に由美子に愚痴をこぼした。サクラなんて本当に必要かな。本場のディズニーランドでも、こんなことやってるのかね。

由美子は平然とした顔で答えた。このアトラクションは東京ディズニーランドのオリジナルだから、ＬＡだとかフロリダのディズニーワールドにはないの。だからやりくりも本場を模倣することができずに、こっちで苦労してるってわけ。

なるほどそうか、と後藤はため息をついた。道理で、シンデレラ城に魔物だなんて発想に至るわけだ。まるでファンタジーＲＰＧの設定だし、なにより、ゲストを乗り物で運ぶのではなく歩かせるというローコスト的思考が日本人らしかった。勇者になってボスキャラを倒したらメダルがもらえるというのも、ディズニーランドというよりはジョイポリスかナンジャタウンのようだった。

だが、文句をいってばかりもいられなかった。由美子は険しい目つきで後藤を見つめ、ショボくてもキャストの仕事、そういった。彼女の意見は正しい。せっかくオンステージの仕事にありついたのに、やる気のなさを露呈したのでは申しわけが立たない。

たとえ正体はキャストであっても、列の途中から割りこんだのでは不自然に思われてしまう。後藤はゲストとともに列の最後尾に並ばされることになった。コスチュームを脱ぎ、ただ列に加わっていると、これが仕事だということさえ忘れてしまいそうになる。この時間も時給を派生するのだろうか。そんなことを考えながら、一時間以上も待たされたあげく、ようやく後藤は入城できた。

後藤の加わったツアーには小学校高学年ぐらいの男の子がひとりいたが、後藤は端《はな》からこの少年の態度が気にいらなかった。暗闇《くらやみ》をいいことに、同年齢の女の子の髪をひっぱったり、噛《か》んでいたガムを壁にこすりつけたり、ツアーからひとり遅れて前のコーナーに居残ろうとしてみたり、とにかく男の子特有の悪さをしでかしてばかりだった。後藤はそれとなく少年の後を尾《つ》けて、ガムを壁からはがし、ツアーから離れたときには前方に向かうよううながさねばならなかった。

しだいに少年は退屈しはじめたのか、ツアーガイドが喋《しゃべ》っている最中に、同じセリフをクレヨンしんちゃんの物まねで反復するという暴挙にでた。

ツアーガイドを勤めるキャストは、ゲストの発言に反応してはいけないという規則でもあるのか、完全に無視をきめこんでいた。ツアーのほとんどのゲストも迷惑そうにしていたが、子供に注意することはなかった。ひとりだけ、男の子を見下ろしてへらへら笑っている大人の男性がいる。一見して彼がこの少年の父親だとわかる。

なにを甘やかしているのだろう、この男は。周りの空気を読めないのだろうか。後藤は苛立《いらだ》ちを募らせたが、子供の父親はただ笑うばかりだった。少年はますます図に乗り、可能なかぎり周辺を駆けまわるようになった。後藤は、その少年がトラブルを起こさないか気が気ではなかった。

やがて、悪い予感は現実になった。ドラゴンに遭遇するコーナーで、少年はエレベーターに乗る直前、壁に半円状に突きだしていた装飾物のひとつをいじり、それを壊してしまった。装飾物の破片はぼろりと床に落ち、少年は一瞬、しまったという表情を浮かべたが、そのままなにもなかったかのように団体にまぎれ、そそくさとエレベーターに逃げこんでしまった。

一部始終を目撃していた後藤の怒りは頂点に達した。東京ディズニーランドにキャストとしてデビューした初日、朝から不満ばかりが鬱積《うっせき》していたせいもあって、憤《いきどお》りは炎のごとく燃えあがった。少年のシャツの首をつかんで近くのキャストに突きだしたい衝動に駆られたが、かろうじて思いとどまった。この少年ひとりのために、大勢のゲストに迷惑をかけるわけにはいかない。

魔王ホーンドキングの部屋に着いた。ロボットの魔王がおどろおどろしく登場したところで、ツアーガイドのキャストが叫んでいる。光の剣を使いこなせるのは、勇者だけです。あなたたちのなかに、その勇者がいるはずです。

少年がツアー中にあれだけ迷惑をかけていたのだ、ガイド役のキャストも少年の存在を知っているのは当然だった。が、ガイド役はあくまでマニュアルに従い、サクラの後藤に視線を向けてきた。あるいは、あの少年を選びたくないと思い、ほかに子供がいるかどうかをたずねているのかもしれない。

しかし、くだんの少年はこの期《ご》に及んで父親の足もとに隠れるように寄り添い、勇者の希望者を募っても、手をあげずにうつむくばかりだった。

卑怯《ひきょう》なガキだ、と後藤は苛立ちを募らせた。悪行三昧《あくぎょうざんまい》の末、こういう参加者を募らねばならない局面には非協力的。わがままもここまでくると許しがたいものがある。

後藤はたちまち一計を案じた。愛想のいい顔で少年に近づいてしゃがみこむと、わざと大声で告げた。「どうした、坊や。そうか、手を挙げても見えないから困ってるのか。よし、お兄さんが代わりに手を挙げてやろう」

その声は魔王のほこらのなかに響き渡った。ゲストの目が一斉に少年に降りそそぐ。少年の父親も困惑顔で、わが子を見下ろしている。

「やだよ」少年は父親にまとわりついて逃れようとした。「出たくない」

後藤はさらに声を張りあげた。「そうか、そんなにでたいのか。よし、お兄さんが手を挙げてるからね。いやー、選ばれるといいなぁ」

ガイド役のキャストが凍りついているのが見てとれる。規定の合図ではなく、大声で少年の存在を知らされたことに戸惑いを覚えているらしい。

後藤はキャストに目くばせした。指名しろ、そう合図を送った。

「やめろよ」少年は小声で後藤に不服を申し立ててきた。「勝手な真似《まね》すんなよ」

「いまさら照れるなよ」後藤はあえて笑いながら少年を抱き寄せつつ、耳もとにささやいた。「前にでなければ壁を壊したのをバラす。ぜんぶ見てたんだからな」

少年は怯《おび》えきった目で後藤を見かえした。後藤は少年をにらみつけていた。

やがて少年はキャストの求めに応じて群衆の前に立ち、顔を真っ赤にしながら、幼稚園のお遊戯会のような勇者役を務めた。ツアーガイドのおおげさなセリフに合わせて剣をひと振り、魔王は登場した場所から一歩も動かないまま、やる気のない少年に撃退された。

アトラクションが終了し、ゲストたちが城の外側の階段を降りていく。後藤は少年の後につづきながら、わざと嬉《うれ》しそうな声をあげた。「いやぁ、おもしろかったなぁ。

坊やの勇者、本当にかっこよかったよ。お父さんもいい子を持って幸せだね」

子供以上に無邪気で単純とおぼしき父親のほうは、当惑しながらも愛想笑いをかえしてきたのに対し、少年のほうは露骨に嫌悪《けんお》をむきだしにした。後藤を振りかえると、怒りに満ちた顔でいった。「ふざけんじゃねえぞ。今度はてめえをぶっ殺すからな」

後藤のなかで、なにかがかちんと音をたてた。後藤は右手で少年の刈りあげた頭をわしづかみにし、めいっぱいの握力をくわえた。「元気なお子さんだね」

痛がって逃れようとする子供、ただ戸惑うばかりの父親。シンデレラ城のかたわらで、奇妙な情景がしばしつづいた。

そのとき、女の声がした。「なにをしてるの！」

後藤が振り向くと、運営部のコスチュームを着た由美子があわてたようすで足ばやに近づいてくるところだった。

子供は、窮地《きゆうち》を脱する好機に巡りあった場合はなんでもやってのける。少年も例外ではなかった。ふいに泣きだし、由美子に訴えた。「お兄さんがいじめた」

汚ねぇな、こいつ。内心はそう思いながらも、後藤はあわてぎみにいった。「そんなことないですよ。ね、お父さん？」

鈍感そうな父は、後藤と少年のあいだの確執には気づいていなかったらしい。困惑のいろをみせながらも、ええ、そう答えた。

「ほらね」と後藤は由美子にいった。

由美子は疑わしげな目を浮かべたが、すぐににっこりと微笑《ほほえ》むと、愛想よく親子にいった。「なにか困ったことがあったら、いつでも遠慮なくお近くのキャストに声をかけてください。では、いってらっしゃい」

少年はなおもその場に留まり、由美子に後藤の不正を訴えようとする素振りをみせたが、父親に手を引かれ、やむをえないようすでその場をあとにした。

後藤は安堵《あんど》のため息を漏らした。

由美子は後藤をにらんだ。「あの子になにしたの？」

「べつに」

「子供と張りあってちゃ、しょうがないわよ」由美子はすべてを見透かしたかのようにいった。「Qラインも消化できて、ツアーが回転するようになってきたみたい。バックステージに戻るわよ」

立ちさりぎわ、由美子は後藤を振りかえって一瞥《いちべつ》した。そのまなざしは、やんちゃな子供に対する母親の目に似ていた。

後藤はふと冷静になり、同時に、自分に対する嫌悪感が募りだした。自分はなにをやっているのか。ゲストに、とりわけ子供たちに夢と希望を与えるのではなかったのか。

己れの所業に呆《あき》れながら、うな垂れて重い足をひきずりつつ、ファンタジーランド方面へと歩いた。陽射《ひざ》しは午後のものに変わり、黒い影が地面におちていた。

キャラクター人形

午後三時からの一時間は、本来ならば美装部全体が非番になるはずだった。後藤のシフト表も、その時間は空欄になっている。実際のところ、美装部のみならずディズニーランド内の裏方を務めるほとんどの部署が、ほぼ同時に休息をとるのだときいた。夕方以降はエレクトリカルパレードや夜のショーが目白押しでまた忙しくなる。キャストたちが身体《からだ》を休めておく、貴重な時間といえた。

ところが後藤は、勤務初日にしてこの休息の時間を返上せねばならなかった。美装部全員に特別に召集がかかった。しかも集合場所はなぜか〝クラブ33〟だという。ワールドバザールの一角、三井住友銀行のATMコーナーの隣りにクラブ33の入り口がある。一般の入場者には無縁の場所だが、オリエンタルワールド本社およびスポンサー各社のエグゼクティブら五百人が会員証を持っていて、彼らのみが利用できる空間だった。アルコールを置いていないディズニーランドのなかで唯一《ゆいいつ》、酒が飲める場所だと噂《うわさ》されている。

後藤は以前に雑誌でクラブ33の存在について読んだことがあり、場所も知っていた。迷うことはなかったが、ただし戸惑いがあった。バックステージで働くことが原則の美装部が、なぜ重役連中の利用するクラブに呼びだされたのか。ひょっとして自分の歓迎会か。後藤は自分の頭を軽く叩《たた》いて、その甘い妄想を閉めだした。もっと現実的に考えよう。夢と魔法の王国を支えるのは現実なのだ。

一般のゲストで賑《にぎ》わうワールドバザールの通路を抜け、クラブ33に行き着いた。警備員は後藤のコスチュームを一瞥して、すぐに扉を開けてくれた。

なかに入った瞬間、息を呑《の》んだ。まさにハリウッド映画にでてくるホテルのスイートルームのような豪華な内装。高い天井からはシャンデリアがさがり、歩くたびに足がめりこむほどの厚手の絨毯《じゆうたん》、ベッドのように巨大なソファが連なり、数々の調度品がきらめく光を放っている。かなりの広さがあった。アンティーク調の家具類はこのテーマパークでよく見かけるイミテーションではなく、どれも本物の風格に満ちている。まぎれもなく、贅《ぜい》を尽くした上流階級の社交クラブの様相を呈していた。

そんな空間のそこかしこで、美装部のコスチュームを着た面々が立ち働いている。顔なじみはすぐに目についた。後藤は、花瓶の花をアレンジしている尾野広幸《ひろゆき》のもとに近づいていった。

「なにしてるんですか」後藤は問いかけた。

いかにも体育会系の尾野は、似合わない花のアレンジメントに夢中のようすだった。後藤のほうに目を向けようともせずに応じた。「わが美装部の唯一最大のクリエイティブな仕事だ。臨時の会議のセッティングってやつだな」

「臨時の会議というと？」

「本社のお偉いさんや、正社員らがパーク内の問題を話し合うため、この午後の休み時間を利用して集まってくる。クラブ33をぴかぴかにして、会議をより充実したものにしていただくための下準備だ」

「ようするに掃除ってことですね」

「いや」尾野の頑固な顔が後藤に向けられた。「それだけじゃねえぞ。周りを見てみろ。ディズニーランドに誇りを持つ人々の尊厳をさらに高めるべく、飾りつけも一任されてる」

後藤は視線をあげた。たしかに、美装部はミッキーやミニーらの人形を運びこんだり、壁ぎわにポスターを貼《は》るなどして会場づくりに追われている。着ぐるみの着脱よりはクリエイティブな仕事かもしれない。

部屋の中央には巨大な会議テーブルがあった。後藤が面接のときに顔を合わせた運営課長の錦野文昭《にしきのふみあき》が、美装二課の早瀬実とあれこれ話し合いながら卓上の人形の位置を模索している。

「だからさ」と錦野が早瀬にいった。「このミッキーの人形、もっと上座《かみざ》に寄せないと重役に対して失礼だろ」

「上座って?」早瀬が顔をしかめた。「和室でもないし床の間もないのに、どうしてこっちが上座だってわかるんです?」

「いいんだよ。前に専務がそっちに座ったんだから。専務の席の前にティガってことはないだろ。せめてプーにしたらどうだ」

早瀬はぶつぶついいながら、人形の位置を換えた。「専務がプーで、局長がミニーで……。この配列でいくと、重役の席はあと五つですね。ドナルド、グーフィー、プルート、デイジーで、残りひとつはどれにします?」

「あとどれが余ってるの?」錦野がきいた。

「だからティガと、ピグレットと、イーヨと……」

「そのへんはまずいだろ。プーさんの添え物って感じで、その席の人が怒って帰っちゃうよ。いちおう主役級でピノキオとかないの?」

早瀬は頭をかきながら周りを見まわした。「向こうの飾り棚に置いてある、ひとまわり大きいサイズのやつなら……」

「駄目だよあれじゃ。サイズが揃《そろ》ってないとみっともないし」

「じゃあ」早瀬はダンボール箱のなかをのぞいた。「マレフィセントかフック船長なら、ちょうどいいサイズのがありますけど」

「悪役はまずいだろ」と錦野が険しい目でいった。「嫌味に受け取られかねないよ」

しばし早瀬はじっと考える素振りをしていたが、やがて錦野を見た。「いっそのこと、それぞれの席の前に人形を置くのはやめにして、テーブルの中央にミッキーとミニーだけ置いてみちゃどうでしょう」

錦野はじっと早瀬を見かえしてからいった。「それ、いいよ。いいアイディアじゃないか。それなら平等だしな」

「片付けますか」早瀬がいった。

「そうだな」と錦野が応じた。

後藤は手伝おうかとテーブルに近づいたが、早瀬も錦野も真顔で人形の整理をつづけている。これだけは他人に譲れない、そんな頑《かたく》なな態度が見え隠れしていた。

やや呆れた気分で、後藤はひきさがった。リードやスーパーバイザーには、新入りの準社員の理解できないこだわりがあるのだろう。加わろうとしたところで、どやされるのがおちだ。

会議テーブルを離れて、入り口付近の掃除に手を貸すことにした。美装部とは別のコスチュームの女の子たちも立っている。たしかゼネラルサービス部のコスチュームだった。女の子たちは後藤に微笑を投げかけてきた。後藤も笑いをかえした。

そのとき、背後で若い男の声が呼んだ。「後藤さん」

振りかえると、笹塚昭雄《ささづかあきお》が手招きしている。「仕事だよ」

「なんですか」

「外へでて、社員の案内」

案内……。またもや落胆が襲った。雑用以外のなにものでもない。

露骨にがっかりした顔を浮かべてしまったのか、ゼネラルサービス部の女の子たちが、顔を見合わせてくすくす笑っていた。

後藤も冴《さ》えない笑顔を取りつくろって女の子たちに向けた。笹塚が腕をつかんで引いた。後藤はやる気をだせないまま、外に連れだされた。

専務

陽が傾いてくると、舞浜の気温は急激に冷えこむ。この季節では、わりと薄手のコスチュームで外に立つのは拷問《ごうもん》に等しい。美装部の一員として右往左往していればまだ身体も温まるが、一箇所にずっと立ちつくしている状況ではなおさら苦痛だった。

後藤は笹塚とともに、ワールドバザールの十字路付近に立っていた。オンステージにいながら、ゲストに対してはなんの役にも立っていないキャスト。臨時の会議にやってくる本社の人間に頭をさげ、彼らがクラブ33の場所を間違わないように案内するだけの役割だった。

スーツの中年男性がふたり、ブリーフケースをさげて歩いてくる。ひとりは長身で、もうひとりはミッキー役のクルー並みに背の低い、白髪頭の男だった。

笹塚が即座に応じた。笑顔でおじぎしながら笹塚がいった。「こんにちは。どうもご足労さまです。クラブ33はこの向こう、右手にございます」

後藤はあわてて頭をさげながらも、本社から来た正社員らしき男たちを眺めていた。男たちは仏頂面《ぶっちょうづら》のまま、後藤と笹塚の前を素通りしていった。

ふたりが歩き去っていくと、後藤は笹塚にいった。「なんだか感じ悪い連中だな」

「あの人たちは正社員だよ」笹塚はつぶやいた。「しょうがないだろ」

「笹塚君だって正社員なんだろ？」

「僕はまだ研修中だから。あの人たちは上層部。月とスッポンだよ」笹塚の顔に蔭《かげ》がさした。「でも、なんだか妙な雰囲気《ふんいき》だな」

「どういうこと？」後藤はきいた。

「いま通っていったのは本社の取締役だよ。中村専務」

「専務？　どっちが？」

「あの背が低いほう……」

「ああ」と後藤は笑って、冗談めかせていった。「またあの歳《とし》でミッキーマウスに入るのかと思ったよ」

「そんなことといってるとクビ切られるぞ」笹塚は真顔でささやいた。「クラブ33の臨時会議って、緊急の議題が多いけど、あんな大物が来るのはめったにない」

「緊急の議題って、たとえばどんな？」

「アトラクションで人身事故が起きたとか、皇室のゲストをお迎えすることになったときとか。特別なシフトになるから、ショーやパレードのキャストも集められたりする。でもたいていは、本社の人間は広報局長ぐらいしかやってこない。なにかあったんだよ」

正社員だけに本社の動向は気になるのだろう。後藤にしてみれば、上の都合などうでもよかった。五時すぎに乾燥機のなかに入っている着ぐるみを取りだして、いくつかをランドリー部門に運ばねばならない。その仕事が残っていることが気がかりだった。

尾野が小走りにやってきて、声をかけてきた。「美装部も会議にでるらしい。クラブ33に来てくれ」

笹塚の怪訝《けげん》な目が後藤を見た。後藤も、笹塚を見かえした。専務から美装部まで揃う会議。いったいなにを話し合うというのだろう。

ショー用ミッキー

午後三時半、クラブ33は大勢の人間でごったがえしていた。会議テーブルについたスーツ姿の中年男たちのほか、それを取り巻くように並んだ椅子《いす》にはさまざまな色彩のコスチュームをまとったキャストがいる。経営陣から従業員まで、手が空《す》いている者はすべて集められたという感じだった。あの背の低い中村専務はそれらの中心に座している。小柄だが、圧倒的な威厳を放っていた。ある意味で壮観な眺めでもある。なにが始まるのか、後藤にしてみれば興味しんしんだった。

室内は混雑していて、休日にインパークしたゲストさながらだった。出席者が、会議テーブルの上に積まれた書類を一部ずつ手にしている。後藤は人を掻《か》きわけて、その書類を取った。見出しには「議題・ショー用ミッキーマウスに関する諸問題」とある。

ところが、どうも周囲の目が冷たい。キャストばかりか会議テーブルの背広までもが眉間《みけん》に皺《しわ》を寄せてこちらを見ている。

ほどなく、笹塚がやってきて後藤の手から書類を奪いとった。どうもすみません、そういって書類をテーブルに戻し、後藤の腕をぐいと引っぱる。後藤は困惑しながらも笹塚に連れられて、テーブルを何重にも囲む人の輪から外へとでていった。

「おいおい」後藤はきいた。「どこへ連れてくんだよ」

「馬鹿《ばか》だな」笹塚は吐き捨てた。「議題書は重役に配られるんだよ。僕たちは後ろで立ってりゃいい」

壁ぎわのひっそりと目立たない一角に、美装部のコスチュームを着た面々が立っていた。お馴染《なじ》みの連中がみな、後藤に苦い顔を向けている。

尾野が腕組みをして後藤をにらみつけた。「呆《あき》れた奴《やつ》だな、おまえは。初日からリードよりも偉くなったつもりか」

後藤は不服ながらも、頭をさげるしかなかった。「すんません」

しかし、なぜ部屋の隅々にまでひしめきあうほどのキャストが一堂に会して、お偉がたの会議の行方を見守らねばならないというのだろう。

そんな疑問にしきりに首をひねっていたとき、遅くなりました、そんな男の声が飛んだ。玄関から入ってきたのは、けさのパレードで見かけた背の低い男だった。小柄で華奢《きゃしゃ》、しかし頑固そうな顔つきのその男は、ミッキーマウスの着ぐるみを身につけていない現在、重役よりもずっと有能な青年実業家にみえた。

後藤は笹塚に小声できいた。「彼の名前、なんていったっけ。たしか……」

「久川庸一」笹塚が答えた。「パレードクルー、ミッキー役」

「そうそう、久川だ。思いだした」

「彼のパフォーマンスは素晴らしいよ」と笹塚はいった。「パレードクルーでありながら、ショーでも充分に通用するほどの演劇センスを持ってるからね」

久川とともに、同じようなスーツ姿の痩《や》せた男女が入ってきた。察するに彼らもクルーなのだろう。全員が会議テーブルに近い椅子におさまった。ということは、正社員なのだろうか。

後藤は笹塚を見た。「着ぐるみのクルーって、準社員候補から採用されるんじゃないのかい？」

「とんでもない、無理だよ。完璧《かんぺき》にキャラを演じられる能力の持ち主でないと、ディズニーランドのクルーは難しい。ほかの遊園地やイベントで着ぐるみショーの出演経験のある人のなかから、オーディションで選ばれるんだ」

「へえ」後藤は心の底から感心した。「パレードひとつをとっても、あんなに大勢のキャラクターやダンサーが参加してるのに、全員が経験者なのかな」

「いや。ダンサーについては、すでに準社員のキャストとして働いている者にも、年一回のオーディションを受けて採用されるチャンスがある。だけど、ミッキーやミニー役は別でね。それら重要なキャラのクルーは、選ばれると同時に本社採用の正社員になるから、狭き門でね。給与も段違い」

「そうかぁ。高校で演劇、もっと本腰いれてやっときゃよかった」

笹塚はやや軽蔑《けいべつ》のこもった目で後藤を見た。「採用には学歴も考慮されるんだよ。久川さんは京大の法学部出身だし。所属してた演劇サークルは全国大会で優勝してるって」

後藤は黙りこんだ。熾烈《しれつ》な競争社会。できれば、そちらのほうに参加したかった。しかし、才能から学歴まであらゆる障壁が行く手を阻《はば》む。自分はといえば、この会議でも末端の扱い。蚊帳《かや》の外に立たされている。会議テーブル付近にいる久川らと自分たちとの距離が、そのままディズニーランドにおける立場の格差を表している気がした。

会議テーブルのスーツがひとり立ちあがり、咳《せき》ばらいしていった。「さて。営業時間内でもありますので、さっそく懸案の議題に入りたいと思います。ここにお集まりのみなさまはご承知のとおり、東京ディズニーリゾートには予備を含め、常時三十体のミッキーマウスの着ぐるみがございます。うち十体がディズニーランドで使用されるもので、パレード用が三体、キャラクターグリーティングおよびミート・ミッキー用が四体、ショー用のものが三体でございます」

へえ、と後藤は思わず感心の声をあげた。尾野が咎《とが》めるような目つきで見た。美装部としては常識なのだろう。だが後藤は、それぞれのミッキーがどのように異なるのかはわからなかった。

スーツ姿の正社員がつづけた。「このショー用ミッキーはほかのミッキーにくらべて軽く、動きやすく、しかも頑丈な素材でつくられています。瞼《まぶた》の開閉や鼻の振動などの電装部品も、クルーみずからが操作可能であり、現在のところ最も精巧な着ぐるみのひとつに属します。半面、この着ぐるみは製造に手間がかかり、非常に高価であるうえ、アメリカのディズニー本社に発注を頼んでも納期は一年先となります。しかも東京ディズニーランドでは、これらショー用ミッキー三体は各エリアでのショーにフル稼働《かどう》で用いていて、一体も予備を有しておりません。よってオリエンタルワールドとしては、これらショー用ミッキーの管理については万全を期すよう指導してまいりました」

年配の社員がきいた。「すると、ショー用ミッキーに故障でも生じたのかな」

「いえ。事態はより深刻です。ショー用ミッキー一体が紛失したのです」

クラブ33のなかにざわめきがひろがった。

「紛失?」別の社員が声をあげた。「どのショーで使われていたものかね?」

「『トゥモローランドのショーベースでおこなわれている『ワンマンズ・ドリーム・リターンズ』です。昨日の最終回を終えたあと、美装部のチェックで紛失が確認されました。ヘッド、胴体部分、グローブにブーツ。一体まるごとです」

人々の目がいっせいにこちらを向いた。誰もが迷惑そうな面持ちで美装部の一団を見[illegible]っている。後藤は居心地悪さを感じて、身をちぢこませた。

正[illegible]員のひとりがいった。「美装二課のキャラクター係は？」

後藤の[illegible]にいた河内《かわち》がうわずった声をあげる。「はい。私です」

「当該の時間に[illegible]ミッキーの回収を担当したのは？」

「はい。ええと、まず正社員[illegible]かたがたがショーの終了後、楽屋でミッキーの着ぐるみを脱がせまして……」

着席しているキャストから厳しい[illegible]調が飛んだ。「われわれはちゃんと準社[illegible]預けましたよ」

「ええ、それはもう、ちゃんと確認してお[illegible]ます」河内は袖《そで》で額の[illegible]をぬぐっていた。

「その後、担当の美装部員が着ぐるみをいつも[illegible]おり袋に詰[illegible]二トントラックでワードローブのズーに配送、そこからランドリー部門に送られる手続きがなされたはずなのですが……」

「担当者の名前は？」

「ええと、美装二課準社員、藤木恵里です」

「準社員だって？　ミッキーマウスのような重要なキャラクターを、準社員ひとりにまかせたのか」

河内はしきりに揉《も》み手《て》をしながらいった。「当日はショー、パレードともにすべて予定どおり決行されたうえ、たまたま熟達した美装部員の欠席が重なりまして……」

静寂の漂うなか、後藤は美装部のコスチュームを着た周囲の面々を見渡した。恵里の顔はなかった。

後藤は尾野にささやいた。「彼女はどこです?」

尾野がつぶやきかえした。「Eパレの準備でワードローブにいる」

「Eパレって、エレクトリカルパレード? まだ時間が早すぎませんか。美装部全体が休憩時間なのに……」

尾野が顔をしかめて小声でいった。「わかってないな。彼女がここに来たら責任追及の集中砲火を浴びるだろうが。無理やりにでも仕事をつくって、出席できないようにしたんだよ」

ああ。後藤はつぶやいた。

淡白に思えた美装部でも、同僚をかばおうとする姿勢をしめすことがあるのか。後藤はひそかに感銘を受けた。とりわけ、尾野のように無骨な男がそういう繊細さを有していることに、かすかな驚きすら感じていた。

正社員のひとりが吐き捨てた。「重要なショー用ミッキーの管理を準社員ひとりにまかせるなんて、スーパーバイザーの管理責任を疑う」

後藤は早瀬を横目にみた。早瀬は苦い顔をしていた。

「それより」と別の中年社員が口をひらいた。「ミッキーの発見が急務だろう。まさか外部に持ちだされてはいないだろうね？　クルーの入っていない着ぐるみそのものが人目に触れたりしたら、本社との重大な契約違反になる」

「そこについては心配いりません」若い社員が答えた。「着ぐるみには赤外線タグが内蔵されています。いわゆる万引き防止用の商品タグと同じく、セキュリティゲートから持ちだそうとすると警報が鳴ります。泥棒が入ったとも思えませんし、美装部が見失ったというだけで、どこかに仕舞いこまれている可能性があります」

「美装部の怠慢だ」会議テーブルで野太い声があがった。「部署の全員が総出で、徹夜の捜索作業をすべきだろう」

「まってください」と若い社員がいった。「美装部は明日も仕事があるんです。それに、これは美装部だけの問題ではありません。もとはといえば、着ぐるみの管理やパーク内での配送手続きの煩雑《はんざつ》さをそのままにしてきたことが、問題の引き金になっていると思われます」

中村専務がうなずいた。「そのとおりだ。今回の着ぐるみ紛失は、わが社全体の問題だと考えていいだろう。もちろん、なくなったショー用ミッキーは探しださねばならないが、ディズニーランドの運営には支障のないかたちでおこなうべきだ」

列席者のなかで最も偉い人間の発言だったからだろう、反対の声はあがらなかった。テーブルについている人々はみな、腕組みをしてしきりにうなずいている。

「ところで」と専務は老眼鏡をかけ、手もとの書類に目を落とした。「着ぐるみの紛失は昨日起きたそうだが、きょうのショーはどうしたのかね。ミッキーのショーは同一時間帯に別個の場所には出現しないから、たぶんほかのショーの着ぐるみを流用したのだと思うが……」

「いえ」若い社員が専務をみた。「たしかにそれぞれのショーでのミッキーの出番は、時刻がかぶらないようになっていますが、着ぐるみの運搬を考慮すると持ちまわりは不可能です。ウエスタンランドの『フロンティア・レビュー』までの間隔《インターバル》は五分しかないですし、なによりそれぞれのショークルーの体型に合わせてあるので、使いまわすことはできないんです」

「でもきょうのショーは中止にならなかったのだろう?」

「はい。キャラクターグリーティングの予備用のものを使って、なんとかしのぎました」

「ということは、その方法でショーは当分のあいだ可能になるのか？」

そのとき、椅子に腰かけていたキャストの男が発言した。「とんでもありません、それは無理です」

列席者たちの目がそちらを向く。声を発したのは、スーツ姿の小柄な男だった。クルーのひとりらしい。体型的にはパレードミッキー役の久川によく似ているが、その男は久川よりもいっそう鋭い目つきをしていて、色も浅黒い。こけた頰のかもしだすハングリーな凄《すご》みは、まるでタイのキックボクサーのようだった。

「きみは？」と中年社員がきいた。

小男はどこか不遜《ふそん》にみえる態度で自己紹介した。「門倉浩次《かどくらこうじ》といいます。ショーベースでミッキーマウスのクルーを勤めております」

後藤は呆気《あっけ》にとられた。久川以上にぎらぎらした目の光を放つこの男が、やはりミッキーマウスだなんて。ゲストもあの素顔でにらまれたら、全員がすくみあがってしまうだろう。

中村専務がきいた。「具体的に、ショー用ミッキーの着ぐるみでないと、どんな問題が派生するのかな」

「まずは、踊れません」門倉は低い声でいった。「キャラクターグリーティング用の着ぐるみはヘッドが重過ぎて不安定です。少し早いターンをすると、もうぐらつきます。このためダンスについては大幅にカットせざるをえませんでした。さらにワイヤーに吊《つ》られるくだりも、ショー用のようにハーネスを下に着けられる構造になっていないので、おこなうことができません。エンディングで音楽に合わせてミニーやグーフィー、プルートと舞台を駆け降りて客席を一巡するくだりでは、前かがみになることができないのでどうしても客席の奥までは行けません。いってみれば、ショーの見せ場となるべき部分のすべてがカットにならざるをえないんです」

「どうやって切り抜けた?」

「クルーと舞台監督でミーティングして、ミニーとドナルドを前面にだし、ミッキーは要所ごとに登場して存在感をだすという演出に切り替えました。ワイヤーで飛ぶくだりはカットし、代わりにバラード調のBGMを生かして、ミニーとのゆったりとした社交ダンスで場をもたせることになりました。背景のセットは同じですが、照明を変えて大人びた感じを演出しました」

社員のひとりが驚いたようすでいった。「それならさっき見た。いい出来だったよ。あれが、急場しのぎに作ったダンスなのかね?」

舞台監督らしい男が満足そうに笑いを浮かべる。「まさに怪我《けが》の功名でした。ワイヤーワークとはまったく趣旨が異なりますが、ハイテンポな前半とコミカルな後半をつなぐいいブリッジになったと思います。少し大人のムードも漂ってましたし、きょうのように大人のゲストの多い日には好評でした。あれは、今後のショーの構成にも生かそうと思います」

「すげえ」後藤は思わず感嘆の声を漏らし、隣りの笹塚《ささづか》にささやいた。「いいなあ。あれこそディズニーランドの仕事って感じだよね。僕も企画とか演出とかに加わりたいよ」

「しっ。静かに」笹塚は咎めるようにつぶやいた。「余計なことばかり喋《しゃべ》ってると怒られるぞ」

ショーのミッキー役の門倉はしかし、舞台監督ほど楽観的になれないようすだった。険しい顔でいった。「ダンスもワイヤーワークもなければ、ショーは壇上でミッキーが手を振ったり、愛想よく振る舞うのに終始するしかありません。パレードやキャラクターグリーティングとの差別化はまるで図れてません。これではショーの存在意義を問われます」

いかにもショーのほうが、パレードなどよりも格上だといわんばかりの態度。パレードミッキーの久川が眉間《みけん》に皺《しわ》を寄せたのが、後藤にも見てとれた。

「その件ですが」と若い社員が書類に目を落としながらいった。「たしかにきょうの即興でつくられたショーもそれなりに見るべきところはありましたが、やはり盛りあがりに欠けるというのがわが社の意見です。一方で、ショーベースのスポンサーである三井不動産から、ショーは中止せずにつづけてほしいという意向がございました。そこでミッキーの着ぐるみに関しては、キャラクターグリーティング用のものではなく、パレード用のものを一体、ショー用に改造できないかと提案がありまして」

ざわっとした声が辺りにひろがる。門倉の表情がいっそう険しくなった。

「いける」と舞台監督らしき男がいった。「パレード用ミッキーなら、ハーネスの装着さえ可能になれば、ほぼ従来どおりの演出ができる。でも、改造してもいいんですか」

美装部の早瀬が発言した。「ファンティリュージョンで途中の早替わりのためにふたつ必要だった着ぐるみが、エレクトリカルパレードではひとつでよくなりまして、パレード用ミッキーは常時ひとつが予備になっています」

門倉は不満そうにいった。「でも、僕は着れませんよ。パレード用ミッキーは久川の身長に合わせてあるはずです。僕は久川より背が高いですし」

しばしの沈黙ののち、若い社員が咳《せき》ばらいした。「おっしゃるとおりです。だから明日以降、ショーベースのクルーはパレードのクルーが兼ねることにしたいと思います」

クルーたちに動揺がひろがった。久川は神妙な面持ちだったが、門倉は違っていた。顔を真っ赤にして社員をにらみつけた。

「そんなのは無理です」と門倉は異議を申し立てた。「振り付けも段取りも、一日で覚えきれるはずがありません」

「そうでもない」正社員のひとりがさらりといった。「『ワンマンズ・ドリーム・リターンズ』の振り付けはオーディションの課題だったし、パレードクルーも身についているはずだ。パレードの時間帯は当然、ショーベースの開演時間と外れているし、クルーの兼任も可能だろう。体力的にもこれくらいは問題ないと思うが、久川君、どうかね」

久川はかすかに困惑のいろを浮かべたが、すぐに真顔で応じた。「全力を尽くします」

門倉がじれったそうにいった。「クルーには互いに阿吽《あうん》の呼吸ってものがあります。長年の付き合いがある者同士でないと、演技のタイミングにもずれが生じます」

「それも心配ない。クルーは全員が総とっかえになる」

クラブ33はしんと静まりかえった。今度の沈黙は長かった。

「なんですって」女の声があがった。門倉の隣りにいたクルーだった。「どうしてミッキーだけでなく、ほかの役のクルーも変わらなきゃならないんですか」

「わかると思いますが」若い社員はため息まじりにいった。「ディズニーランドにおいて、それぞれのキャラクターの身長はミッキーを基準にきめられています。ミッキーとミニーは同じで、グーフィーはミッキーよりも約十一パーセント高くて、ドナルドは七パーセント低い。ミッキーのクルーが交代するとなると、ほかのキャラクターもウォルト・ディズニーの定めた身長差を正しく再現していなければなりません。だからクルーは全員、交代になるんです」

門倉は黙りこんだ。一様に肩を落とすショーのクルーに対し、パレードクルーは目を輝かせているようにみえた。すなわち彼らも、パレードよりショーを演じたいという欲求を抱いていたのだろう。

「では」と正社員のひとりがいった。「運営部、美装部など、あらゆる部署の準社員には、明日より特別なシフトを組んでいただきます。パレードを担当していた美装部員は、クルー同様にショーのほうも兼任してもらうことになりますので、よろしくお願いします」

後藤は、沈静化していた情熱がまたもや沸きあがってくるのを感じていた。ショーとパレードを兼任。舞台の裏方を務めるというのは、パレードよりもずっと楽しそうに思えた。クリエイティブな仕事に一歩ずつ近づいている。そんな実感に、後藤の胸は高鳴った。

若い社員が辺りを見渡しながら、声を張った。「紛失した着ぐるみを探す必要もあるため、みなさんには従来の倍以上の働きが要求されます。しかし、ほかならぬ夢と魔法の王国を支える事業だと思って、ぜひご尽力ください。明日からのシフトは一時間以内に、各部署に伝達されます。どうぞよろしく。会議は以上です」

クラブ33を埋め尽くす人々が、にわかにざわつきはじめた。キャストたちがぞろぞろと玄関に向かう。

尾野が後藤をうながした。「五分超過してる。いくぞ」

はい。後藤はそう応じてから、なぜか気になって会議テーブルを振りかえった。

社員らが席を立ったあとも、門倉は椅子《いす》から立ちあがろうとしなかった。無言で険しい顔のまま、まっすぐに前を見つめている。

久川は立ちあがり、そんな門倉をじっと見下ろしてから、ゆっくりと歩きだした。互いに、目を合わせようとはしなかった。

人知れず対立するふたりの男がいる。世間に決して公《おおやけ》にされることのない、ミッキーマウスどうしの対峙《たいじ》。後藤は複雑な心境だった。まさに、夢と魔法の王国を支えるのは、現実に生きる人々の葛藤《かっとう》にほかならない。

番号札

黄昏《たそがれ》をわずかに残した空の下、キャスト専用道路をコスチューム姿の男女があたかも駅伝のように駆けていく。会議がわずか五分延びただけでも、各部署にとっては迷惑なことらしかった。誰もバスの到着を待とうとせず、自分の足で駆けている。日没後のシフトに遅刻しないことが、キャスト全員の課題であるらしかった。

美装部はひとかたまりになって、パレードビル方面へと走っていた。刻一刻と時間に追われる忙しさも、後藤にとっては快感に変わりつつあった。クラブ33をでたころには、久川と門倉の対立に代表される悲喜こもごもの葛藤が気になっていたが、ふたたびバックステージに戻ると、ミッキーマウス紛失というハプニングに端を発する特殊なシフトへの期待が急速に高まった。

明日からはショーの裏方を務めることになる。人手不足の折、きょうよりも意義のある仕事を仰《おお》せつかる可能性は充分にあった。どんな仕事に就くのか、想像しただけでもわくわくする。

後藤は並んで走っている笹塚にいった。「ショーの裏舞台ってどんな感じなんだろ。なにをやらせてもらえるのかな。期待しちゃうね」

笹塚は息を弾ませながら駆けつづけている。その顔に笑顔はなかった。「手作りっていう意味では、パレードとそんなに変わらないよ。ま、タイミングとか技術とか、より高度なテクニックが必要ではあるけど。ショーのほうはクルーもキャストも精鋭ぞろいだし」

「精鋭か。そこに加われるだけでも名誉だね」

「自分の仕事が認められて抜擢《ばってき》されたわけでもないのに、よくそんなに有頂天になれるな」

笹塚がそうこぼしたとき、路上をクルマのヘッドライトが照らしだした。後方から黒いセダンが近づいてくる。キャストたちが左右に寄って道を譲るなか、セダンは後藤と笹塚の横に並び、速度をあわせるように徐行した。

なんだろう。後藤が走りながら眺めていると、後部座席の窓が開いて、ひとりの中年男が顔をのぞかせた。スーツを着てネクタイを締め、薄くなった髪を丁寧に七三にわけたその男は、たしかさっきクラブ33の会議テーブルについていたひとりだった。

「笹塚君」男は愛想よく声をかけてきた。「研修がんばっているようだね」

「あ、どうも」笹塚は笑って頭をさげた。「おかげさまで、日々学ばせていただいております」

「大変だと思うけれども、それぞれの部署の仕事を覚えて、本社勤務に役立ててくれよ。期待してるから」

「ありがとうございます」

では。男はクルマの窓から尊大に手を振った。セダンは速度をあげて、道路の行く手へと消え去っていった。

後藤は笹塚にきいた。「いまの誰？」

「いずれ上司になる人」笹塚はいった。「面接からずっと指導をしてくれてる」

ふうん。後藤は黙りこんだ。同じ面接といえど、正社員と準社員ではずいぶん扱いが違うものだ。後藤が面接で顔をあわせた早瀬は、後藤の出勤一日目から半ば責任を放棄しているようにみえるのだが。

またクルマが後方から近づいてきた。今度はトラックだった。荷台には青い袋がいくつも積みあげられている。着ぐるみをおさめて運搬するための袋であることは、後藤もすでに学習していた。袋にはE156、E201など番号札がついているが、何番がどのキャラクターをしめすのかは、後藤はまだ知らなかった。

トラックは美装部員の横で速度をさげた。運転席の二十代後半ぐらいの男が顔をのぞかせて怒鳴る。「尾野。来週の合コン、イクスピアリの真ん中の広場に九時集合な」

後藤は後ろを走っていた尾野を振りかえった。

尾野は顔をしかめていた。「合コンだなんて、でっけえ声でいうな」

「悪《わり》い。じゃ、あとでな」運転手が顔をひっこめると、トラックは速度をあげて遠ざかっていった。

きわめて現実的で、どこか怠惰さを感じさせる尾野たちの態度も、いつの間にか気にならなくなっていた。それどころか、夢と魔法の王国であるディズニーランドのイメージとまるで対極に位置する彼らの人間くささを、好ましいものと感じはじめていた。一時はマニュアルだらけの退屈な職場かと思ったが、そうでもないようだ。予期せぬ出来事や変化がある。これは面白くてやめられない。

自分をどこか単純だと思いながらも、後藤は楽天的な気分に浸っていた。明日以降も希望が待っているにちがいないと、本気で信じられる自分がいた。

シフト

夜間照明に照らしだされたパレードビル前には、すでにエレクトリカルパレード用のフロートが続々と集結しつつあった。表層のイルミネーションが点灯していないと、フロートはまるで大小の岩のようだ。クルーやダンサーの姿はまだない。さっきのトラックが停車して、青い袋を荷卸《におろ》しする作業に追われている。

夜のパレードまでにはまだ時間があるが、美装部はパレードビルで待機するらしかった。後藤は尾野たちにつづいて、ビルのなかに入っていった。

そこは、美装部の本拠であるワードローブビルよりも広くて、近代的な建物だった。一階にはパレードカウンターなる場所があって、パレード用コスチュームの貸し出しをおこなっている。気の早いダンサーが何人か、もうコスチュームを手にしていた。リハーサル室では、私服姿のダンサーが振り付けの練習をしていて、その隣りのウィッグルームでは女の子たちがメイクに入っていた。

廊下を進みながら、尾野が扉を指さした。「ここがプロップス、楽屋だ。で、その向こうがパレードズー。パレードにのみ用いられる着ぐるみは、ほとんどここに固めてある」

後藤は尾野にいった。「例の、なくなったミッキーが紛れこんでないか、あとでリストをチェックしておきましょうか」

尾野は妙な顔で後藤を見た。「ずいぶん積極的だな」

「ええ」と後藤は笑った。「なんだか心が躍りますよ」

「踊りはダンサーにまかせとけよ。俺たちゃしがない美装部だぞ」尾野はそういって、突き当たりの扉のなかを入っていった。

なかは雑然としたオフィスだった。女の美装部員が紙を配布している。「お疲れさまです。明日以降のシフトです」

「どれどれ」尾野は受けとった用紙を眺めた。「河内さんと一緒か。空き時間は……ワードローブと第二ワードローブのズーに行くのか?」

部屋に入ってきた河内が仏頂面《ぶっちょうづら》で告げた。「正社員らの着ぐるみ捜索を手伝うんですよ」

「つまんねえ仕事だな」尾野がうんざり顔で頭をかいた。「正社員が探すんなら、俺たちゃいらないと思うけどな」

「そうでもないよ。連中が勝手にズーをひっかきまわしたら、あとで整理するのに余計な時間がかかるだろ。それとパレード用ミッキーとほかのミッキーの微妙な違いも、連中にはわからんだろうし」

後藤もシフト表を受けとった。〝朝七時入り、ショーベース楽屋（ミッキー）〟とある。

ショーベース。後藤の胸は高鳴った。尾野にシフト表を差しだして、うわずった声できいた。「あのう、これ楽屋で仕事ってことですよね？　それもミッキーってことは、主役の楽屋ですか？」

尾野はうなずいた。「ああ、そうだな」

「やった」後藤は有頂天になった。「久川庸一さんの晴れ舞台をまかされるわけだ。光栄だな」

「なにいってんだよ」尾野が眉《まゆ》をひそめた。

河内が陰気にぼそぼそと告げる。「掃除だよ」

「え」と後藤はつぶやいた。

「久川さんの楽屋の掃除。それがきみの仕事」

「あのう。着付けのほうは……」

「そんなもの、正社員とステップ3のベテランがおこなうよ。掃除ででたゴミは分別して、いったん奥の用具入れにしまっておいて、営業時間が終わってから集積所まで運ぶようにね。ぜったいゴミ袋を正社員らの目に触れるところに放置しないように。そんなとこかな」

早瀬が室内に声を響かせた。「運営部から再度通達があった。通勤中にゲストの夢を壊す会話は絶対控えるように。それから、ミッキーマウス紛失についても口外しないでくれとのことだ。いいかな。じゃ、それぞれ持ち場に戻ってEパレの準備」

尾野たちはぞろぞろと戸口に向かっていった。尾野が投げやりな口調でいう。雨降らねえかな、そうすりゃ早く帰れるのに。河内が応じる。無理ですよ、こんな天気じゃ中止の可能性は万にひとつもないね。

早瀬も廊下に消えていき、後藤はひとりその場に残された。

ぼんやりとたたずむ。また空虚な気分になった。闘志を燃やしては冷水を浴びる。ディズニーランドでの就労初日、朝から晩までそればかりだった。

2nd Day

第二日

後悔

翌朝、後藤は早くから出勤し、トゥモローランドの〝ショーベース〟の裏に入った。

意外にも、屋外劇場の様相を呈するその舞台の裏側には広い建物が存在して、とりわけメインキャストの楽屋はパレードビルとは比べものにならないほど豪華だった。

さすがにクラブ33ほどではないものの、二十畳ほどの広さにソファやベッド、冷蔵庫も置かれていて、さしずめスイートルームのような様相を呈している。大きな着ぐるみの着脱に不便がないよう天井も高く、壁ぎわには専用棚もあった。隣りにはシャワールームも設置してある。しかもこれが、ミッキーマウスのクルーひとりが占有できるスペースだというから呆《あき》れる。

掃除という仕事に不服《ふふく》がなくなったわけではないが、後藤はショーの楽屋というものの重要性を悟り、やる気を奮《ふる》い立たせた。ほうきで埃《ほこり》を掃《は》きだし、フローリングの床を磨《みが》きあげて、棚もテーブルも塵《ちり》ひとつ残さないよう何度も拭《ふ》いた。

ディズニーランドの開園時刻をすぎ、ゲストがインパークしたころ、早瀬がやってきた。

早瀬は掃除を手伝ってくれるわけでもなく、廊下にたたずんでときおり部屋をのぞきこんでは、そわそわとした顔で遠ざかり、また姿を現す、そんな動作をしきりに繰りかえしていた。

「早瀬さん」後藤はソファの雑巾《ぞうきん》がけをつづけながら、じれったく思っていった。「市原悦子の家政婦じゃないんですから、神経質に見張るのはやめてくれますか」

「そんなわけにはいかないだろ」と早瀬がむっとした。「新入りのきみが失態を演じないとも限らんからな」

こんなシンプルな部屋の掃除で失態を演じる。いったいどんな可能性があるというのだろう。よほど信頼がないのだろうか。

ソファを拭き終えて、さすがにもうやるべきことはなくなった。我ながらよく掃除したものだ、光沢を放つ部屋のなかでそう思う。だが、早瀬はまだ険しい目をこちらに向けている。時間がくるまで解放してくれる気配はない。

しかたなく仕事を見つけることにした。綿棒でエアコンの吹き出し口の埃をとっていると、早瀬がだしぬけに廊下で声をあげた。「おはようございます」

後藤は開け放たれた戸口に目を向けた。スーツ姿の久川庸一が、背筋をしゃんと伸ばしたまま硬い顔で入室してきた。

おはようございます、と後藤はいって、壁ぎわにひきさがった。

久川は表情を変えず、小さく会釈《えしゃく》をして、ソファに向かっていった。

早瀬がにこやかな顔で一礼をする。その顔が後藤に向いたとき、笑顔は消え、代わってふたたび険しいまなざしがあった。「掃除、ちゃんと最後までやっておくように。久川さんにはくれぐれもご迷惑がかからないようにね。じゃ、あとで」

それだけいうと早瀬は、閉じた扉の向こうに消えた。

どうせなら一緒に退室させてくれればいいのに、早瀬はなおも後藤に掃除をつづけろという。美装部がスケジュールどおりに動いているのを見せたかったのだろう。このさい、部屋の掃除がすでに終わっているかどうかはさして問題視されていなかったようだ。

不満を感じながらも綿棒を片手に、エアコンの埃とりをつづけた。ちらと振りかえって、久川を見る。久川は、ソファにおさまって台本を読みふけっていた。まるで哲学書に目を通すかのように、眉間《みけん》に深い縦じわを何本もきざんでいる。

後藤は咳《せき》ばらいをして声をかけた。「灰皿をお出ししましょうか」

だが、久川は顔をあげることもなく、ぼそりといった。「タバコは吸わない」

ああ、そうですか。後藤はつぶやいた。

しばしの沈黙のあと、後藤は愛想のよさをつとめながらいった。「あのう、僕、きのうから美装部に入ったばかりなんです。美装二課の後藤大輔《だいすけ》といいます」

久川は無言のままだった。一瞥《いちべつ》をくれようともしない。しばらくして、台本のページを繰った。動作はそれだけだった。

馴《な》れ合いを拒む沈黙の盾。こちらが準社員だからか、あるいは美装部だからだろうか。同じひとつの舞台をかたちづくるキャストのひとりとしては、認めてもらえていないのだろうか。

後藤はなおも微笑をつとめながら話しかけた。「このショーって派手ですよね。アクロバットもあればダンスもあって、まさに東京ディズニーランドの顔って感じですよ。あのワイヤーで飛ぶのって、人が操作してるんですかね。それともコンピュータ制御とか……」

ようやく久川の目がこちらを向いた。いかにも迷惑そうな視線。それが数秒のあいだ後藤に投げかけられ、また台本へと向けられた。

言葉はなかった。後藤は困惑を深めた。

ショーについて触れたのはまずかったかもしれない。久川は主役を演じるのだ、ナーバスにもなるだろう。

考えたあげく、後藤は別の話題を振った。「紛失したミッキーの着ぐるみ、どこにいったんでしょうねぇ。昨晩、Ｅパレが終わったあとに、美装部のほうでズーはすべて調べてみたんですけど、ぜんぜん見当たらなくて。尾野さん……、あ、僕の上司のトレーナーですけど、彼の話では、ランドリー部門の手配ミスじゃないかって……」

「後藤君。だったね」久川の低い声が響いて、後藤のしゃべりを遮った。「ちょっとお願いがあるんだが」

「あ、はい。なんでしょう」

「黙って掃除してくれないかな。僕らクルーは、ショーにすべてを賭《か》けてる。事前に集中が必要なんだ。失敗は許されないからね」

「はあ……。どうもすみません。つい……」

「それに、消えたミッキーマウスの着ぐるみについては、社員が探してる。きみや僕が心配したって始まらないだろう。それぞれの仕事をこなそう」

久川は言葉を切り、また台本に目を落とした。

後藤はなにもいうことができず、ただ立ちつくすしかなかった。それぞれの仕事をこなす。要するに後藤がおこなうべきは掃除だけということだった。

やるべきことを探して室内を見渡すが、すでにエアコンの吹き出し口すら綺麗《きれい》なものになっていた。

結局、掃除道具の片付けに入った。口出しを咎《とが》められた以上、黙々とその作業に徹するよりほかになかった。

と、そのとき、廊下から口論のような声がきこえた。男の声が甲高《かんだか》く、おまえが責任を負うべきことだろうが、そう告げている。つづけて別の男もなにやら罵声《ばせい》をあげているが、戸が閉まっているせいでよく聞こえない。

なんだろう。後藤がそう思っていると、久川も気になったらしい。立ちあがり、戸口に向かっていった。久川が扉を少し開けると、声は明確にきこえるようになった。

「事故かどうかあやしいもんだ」と男の声が怒鳴っていた。「紛失は偶然じゃなくて必然じゃないのか」

ぼそぼそと女の声が応じる。「どういうことですか」

「ありていにいえば、おまえが隠したんじゃないかっていってるんだよ」

久川は扉を大きく開け放ち、廊下にでていった。後藤もそのあとにつづいた。

「騒々しいな」久川は廊下に声を響かせた。「どうかしたのか」

その行く手には、きのうクラブ33で見かけた男たちが三人ほど立っていた。いずれもスーツ姿で、久川の同僚のクルーだった。

廊下にはもうひとり、後藤と同じ美装部のコスチュームを着た女が立っていた。身をちぢこませ、怯《おび》えきった顔でうつむくその女は、藤木恵里だった。

クルーのひとりがなおも憤《いきどお》りのいろを漂わせたまま、久川にいった。「べつになんでもないよ。ただ、ミッキーの着ぐるみがどこにいったのか、それをきいてただけだ」

別のクルーがいう。「この美装部員のネームタグを見たところ、藤木恵里とあったんでね。きのうの会議できいたろ。ミッキーを紛失した張本人だ。以前から顔は知ってたよ。パレードで何度かやらかしているしな」

さらにもうひとりのクルーがつづけた。「ダンサー志望で何度も滑ってるんだよ、彼女は。で、恨みに思ってミッキーを隠したんじゃねえのかと思ってさ」

「どうしてそうなるんだ」と久川が冷静な声で告げた。

クルーは一様に、困惑した顔で押し黙った。

久川はため息まじりにいった。「急にショーを掛け持ちすることになって、不安が募るのはわかる。俺も同じ立場だ。だが、ほかのキャストに八つ当たりするのはよせ。

たとえ、紛失時に担当だった美装部員だとしてもだ」

「だけどさ」クルーのひとりが口をとがらせた。「彼女がまたここの担当をするんじゃ、気が休まらないよ」

久川の目が恵里に向いた。「きみはここで、なにをしてるんだ?」

恵里は戸惑いがちに目を泳がせるばかりだった。もともと気弱そうな女だ、男たちに囲まれて問い詰められ、言葉も思うようにでないのだろう。後藤は思った。

「あの」と後藤はいった。「藤木恵里さんはショーの着付けに配属された美装部員のうちのひとりで、シフト表どおりに来てるだけの話で……」

「きみには聞いてない」と久川がぴしゃりといった。

後藤は面食らって言葉を呑《の》みこんだ。反論を許さない高圧的な態度。美装部の上司よりずっと厳しい言動がそこにあった。

「藤木さん」久川はやや穏やかな口調になったが、依然として表情は険しいままだった。「見てのとおり、クルーはみな気が立っている。きみがここにいると、彼らの集中力が掻《か》き乱され、ショーの出来栄《できば》えに支障がでる恐れもある。すまないが、ほかの美装部員に交替してくれないか。美装部の早瀬さんには、僕のほうから連絡しておくから」

恵里は泣きそうな顔でひたすら床に目を落としていたが、やがてこっくりとうなずくと、遠慮がちに身を縮めながら廊下を立ち去っていった。

廊下に漂う険悪な雰囲気《ふんいき》は、ひとまず解消された。久川が深くため息をついて、仲間のクルーたちにいった。「さ、これでいいだろ。楽屋に戻ってショーの準備だ」

久川が踵《きびす》をかえして楽屋に戻っていく。後藤がそのあとにつづこうとしたとき、クルーたちのささやく声が耳に入った。ちぇっ、すっかり座長きどりだな。ショーに出世したとたん大物風を吹かせてやがる。

後藤は足をとめず、久川を追った。後藤の耳にもかろうじて届いたつぶやきだ、久川には、彼らの愚痴はきこえなかっただろう。

だが、そんな状況がいっそう後藤にはいたたまれなく感じられた。クルーのあいだの対立。夢のディズニーキャラクターを演じる者たちの葛藤《かっとう》。そんなものが存在するなんて、できることなら知りたくはなかった。夢は夢のまま、そのほうがどれだけよかったかわからない。ほんの一瞬、後藤のなかを後悔という二文字がかすめた。

除《の》け者

ショーの準備は、どこか穏やかさを漂わせていたパレードの準備とはまるで趣きを異にしていた。とりわけ主役のミッキーマウスの楽屋ともなると、出入りするキャストの動きにはいっさいの無駄もなく、談笑ひとつ交わされることもなかった。全員が黙々と立ち働くそのさまは、まるで出陣を目前に控えた武将が鎧《よろい》を身につけるかのような緊迫感に満ちていた。

後藤は楽屋の隅で掃除道具の片付けに追われていたが、そのあいだにもミッキーの頭部《ヘッド》や胴体が続々と運びこまれ、全身黒タイツ姿の久川の身体《からだ》に次々と装着されていく。ほっそりとした身体にボディパッドをつけ、ボディファーを着た時点で、ふしぎなことに久川の肉体は一見してミッキーマウスとわかるほどの説得力のあるシルエットに変貌《へんぼう》した。これにグローブとブーツを足したとき、久川の首から下は完全にミッキーマウスになっていた。

久川はあの険しい顔のまま、さもミッキーのような愛らしい素振りで腕や脚を動かしたが、それは後藤の目にきわめて奇妙な光景として映った。身体はたしかにミッキーマウスだが、顔は笑ってはいない。無骨な日本人青年の真剣な表情がそこにある。その頭部は、ＣＧで合成した映像のような違和感を放っていた。逆にいえば、首から下の部分はそれだけミッキーマウスになりきっているともいえた。

出入りするベテランの準社員や、正社員とおぼしきスーツ姿の男女たちは、ほうきを手にした後藤に目もくれなかった。全員が互いにぶつかりあうこともなく、寸分の狂いもなく動きまわるさまは、それ自体が舞台のようだった。

さすが、ショーは違うなぁ。後藤はただ呆然《ぼうぜん》とそのようすを眺めていた。精鋭ぞろいという触れこみは、たんなる伝説ではないようだった。

戸口に、きのうクラブ33で見かけた顔が姿を現した。門倉浩次《こうじ》、きのうまでショーのミッキー役を務めていた男だった。

まだ頭部を装着していない久川が身体の向きを変えたとき、門倉と目が合った。久川の表情は変わらなかった。門倉も同様だった。

「しっかりな」と門倉が声をかけた。情の感じられない、乾いた声の響きだった。

「ああ」と久川がいった。両手のこぶしをボクサーのように突き合わせ、グローブの位置を整えている。

さほどプレッシャーを感じていないようすの久川を、門倉は面白くないと感じたようだった。嘲笑《ちょうしょう》に似た笑いを浮かべ、煽《あお》るような言葉づかいを口にした。「階段の上でワイヤーを外してミニーと手をとりあうところが難しいんだ。ダンサーも大勢、ステージにあがってるしな。ぶつかって転げおちないように、ゆっくり降りたほうがいいぞ」

「いや」久川は無表情のままだった。「それでは音楽が終わるまでにセンターに戻れない。タイミングはビデオで何度も研究した。充分にやり遂げてみせる」

門倉はふたたび硬い顔に戻った。「うまく代役を務めてくれよ。ショーが閉鎖になる不名誉だけは避けてくれよな」

代役という言葉に、どこか強調されたような響きがあった。久川がなおも無言のままでいると、門倉は苦々しい表情のまま廊下へと消えていった。

ミッキーの頭部が久川にかぶせられた。その瞬間、部屋のなかにいた久川庸一は姿を消し、ミッキーマウスだけが存在していた。すでに身体の動きはミッキー以外のなにものでもなかった。それは演技のデモンストレーションというより、無意識の条件反射にみえた。すなわち久川は、その心情や魂さえも完全にミッキーマウスに変貌してしまったかのようだった。

すげえな。後藤は小声でつぶやいた。圧倒されるしかない状況とは、まさにこのことだった。

扉から顔をのぞかせたキャストが、ミッキーマウスに声をかけてきた。「開演十分前です。舞台袖《そで》に移動してください」

ミッキーはうなずき、歩きだした。狭い戸口に耳をぶつけるようなへまもなく、すんなりと通っていく。クルマを運転するときの車幅感覚と同じような勘が備わっているのだろう、後藤はひそかに感心した。

つづいて正社員やベテラン準社員らが廊下にでていく。後藤もそのあとにつづいた。

廊下を一同とともに歩きかけたとき、正社員とおぼしき男が後藤をじろりと見た。

男はいった。「舞台袖は関係者以外、立ち入り禁止だ」

準社員の美装部員はショーの関係者と見なされていないのか。後藤は途方に暮れながらきいた。「僕はどうすればいいんでしょうか」

「きみの役割は?」と男がじれったそうにたずねかえした。

「さっきの部屋の掃除を仰《おお》せつかったんですけど」

「それならもう仕事は終わっただろう。ここに余分な人間はいらない。退去してくれ」男はそういうと、ミッキーマウスを囲む一団とともに歩き去っていった。

後藤はその場に立ちつくし、彼らが遠ざかっていくのを見送った。

また除け者かよ。思わずため息まじりに、そうつぶやいた。

アクシデント

空は厚い雲に覆《おお》われている。雨が降るかどうかは微妙だ。つまり、パレードが決行となるか中止になるか、直前まで読めない。やっかいな天気だと後藤は思った。土壇《どたん》場《ば》になって中止がきまっても、それまでに着ぐるみの準備だけはしておかねばならないからだった。

ショーベースからバックステージに入り、キャスト専用バスに乗ってワードローブビルに戻った。朝一番で出勤し、ずっと掃除をしていたというのに、疲労感はまるでない。むしろ体力は有り余っている。それでも美装部のオフィスに帰って、パレード準備の時刻まで待機せねばならない。

うんざりした気分で二階のオフィスに足を踏みいれる。尾野たちがミッキーマウス捜索の手伝いに駆りだされているせいで、室内はがらんとしていた。早瀬が奥のデスクにおさまって新聞を広げているほかには、部員は誰もいなかった。

後藤を追いかけるようにして、あわただしい足音が踏みこんできた。振りかえると、運営部の桜木由美子《ゆみこ》が足ばやに入室してきたところだった。

「おはよ」由美子は後藤にあいさつすると、さっさと早瀬の前に突き進んでいった。携えていたクリップボードを渡しながらいう。「早瀬さん、午前と午後のパレードが雨パターンになったときの要確認事項です。ここに印鑑を」

早瀬は新聞の向こうから顔をのぞかせると、ああ、そういって身を乗りだした。「どうもごくろうさん。雨、降るといいね」

露骨にパレードの中止を希望する美装部のスーパーバイザーに、由美子は冷ややかな視線を向けた。

咎められる気配を感じとったからだろう、早瀬は戸惑ったようすでそそくさと印鑑をとりだし、書類に捺印《なついん》した。

「お手数をおかけしました」由美子は乾いた声でいって踵をかえした。

ふたたび近づいてきた由美子に、後藤は話しかけた。「やあ。よく会うね」

「そうね」と由美子は応じた。「運営課はいろんな部署をまわることが多いから」

「いいなぁ、充実してて」後藤は心からいった。「僕はなにもやらせてもらえない。楽屋を掃除したあとはここで待機するだけ。パレードがあればまだ着付けを手伝えるけど、中止になったりしたら、すっかり窓際族《まどぎわぞく》だよ」

由美子は微笑した。「待機も仕事でしょ。いつ緊急の呼び出しがかかるかわからないし」

「まあ、そうだけどさ」

そのとき、壁のスピーカーからアナウンスが流れた。「業務連絡。ビッグサンダーマウンテン、緊急停止。運営部システム課の担当者は当該アトラクションに急行してください」

由美子の顔が曇った。「へんね。メンテしたばかりなのに」

「ゲストが線路の上に携帯でも落としたんじゃない？　僕が以前にインパークしたときには、そんな理由で一時間も待たされたよ。ゲストとしてもキャストとしても待ってばかり」

「じゃ、もう慣れてるでしょ」と由美子が笑った。「いざというときに備えて、休息をとっておけばいいじゃない」

「もう充分休んだよ。なんでもいいから仕事がしたい」

電話が鳴った。早瀬が机上のインターホンの受話器をとる。「美装二課です。……手が空《す》いている人間ですか？　ええ、まあ、若干名いますけど」

早瀬の目が後藤を見た。後藤は期待感を抱いた。今度こそ、なにかやりがいのある仕事がまわってくるのではないか。そう思いたい。

ところが、早瀬の表情はみるみるうちに険しいものになった。「……まさか。本当にうちの部員ですか？……ええ、確認のほう、是非ともお願いします。それでは」

早瀬が受話器を置くのを待って、後藤はきいた。「なにかあったんですか」

「ビッグサンダーマウンテンだよ」早瀬は呆然とした面持ちでいった。「線路上に人がいるらしい。それも美装部のコスチュームを着た女だって」

後藤は驚きとともに由美子を見た。由美子も目を見張りながら後藤を見かえした。

「すると」由美子は咳《せ》きこみながらいった。「緊急停止したのって、そのせい？誰か轢《ひ》かれたとか？」

こうしてはいられない。後藤は駆けだした。「行きます」

「わたしも」由美子の声が追いかけてきた。

「おい」早瀬の怒鳴る声を背後にきく。「事故の処理とかは正社員にまかせておけよ。余計な手出しはするなよ」

聞く耳は持たなかった。後藤はただがむしゃらに走った。被害に遭ったのが美装部の人間なら、その安否をたしかめねばならない。たった一日であっても、職場を共にした仲間だ。傷ついたのだとしたら、とても見過ごすことなんてできない。

ダンサー

オンステージでは、キャストは走ってはいけないという規則がある。きのうシンデレラ城ミステリーツアーに向かったときもそうだった。そんな取り決めがひどくもどかしい。後藤は由美子とともに、競歩のような早歩きでビッグサンダーマウンテンへと急いだ。

キャストの張りあげた声が辺りに響いている。「ビッグサンダーマウンテンは安全装置が働いて緊急停止したため、現在ご利用できなくなっております。再開時刻は未定です。恐れいりますが、ほかのアトラクションをお楽しみください」

ディズニーランドでは唯一《ゆいいつ》にして最大の本格的ジェットコースター。人気の乗り物ゆえに、中止の報《しら》せがあっても並んでいたゲストは容易に立ち退《の》こうとはしなかった。動かない列が依然として、黄土いろの岩山からウェスタンランドへと伸びている。

由美子はその列の脇《わき》をすり抜けて、岩山の側面にある洞穴を模した出入り口に歩を進めていった。『関係者以外立ち入り禁止』の立て札があって、ロープが張ってある。そのロープをくぐり抜けたとたん、由美子は走りだした。

後藤もそのあとを追った。通路は、外からみえる範囲までは岩肌のような壁面に囲まれていたが、ひとつめの角を折れたとたん、鉄骨の柱と梁《はり》がむきだしのバックステージに入った。そこは文字どおり、岩山の内部だった。そのまま通路を進んでいき、急角度の鉄製の階段を昇っていく。また通路があって、行く手は三叉路《さんさろ》に分かれていた。

由美子は三叉路の真ん中に立ちつくして辺《あた》りを見まわしていたが、たぶんこっちね、そういってまた走りだした。

後藤もひたすら由美子の背を追った。蛇行する通路はいたるところで狭くなっていて、身をかがめないと抜けられない場所もあった。ほどなく行く手に、ざわめく人々の声がきこえてきた。由美子が歩を緩めた。

通路の先は小部屋につづいていて、このアトラクションのキャストが数人、警備員も何人かいた。誰もが当惑の表情を浮かべている。部屋の奥には短い昇り階段があって、非常口につづいていた。その開け放たれた扉の向こうには、岩山の谷間と線路がみえている。通常ならばここをビッグサンダーマウンテンのコースターが走行し、非常口も閉じられているのだろう。いまはコースターの走る音もゲストの歓喜する声もきこえない。

警備員のひとりがその非常口に立ってしきりに外を眺めていた。

由美子が警備員に近づいて声をかけた。「なにがあったんですか」

警備員は振りかえっていった。「この勾配《こうばい》のさきに美装部の女の人がいて、線路の上に座ってる。コースターはカーブの前で緊急停止したから、ゲストには見られずに済んだ」

「すると、コースターに乗っていたゲストは全員無事ですか」

「もちろん。非常用の分岐点からスタート地点に戻した」警備員は階段を降りてきて、壁ぎわのモニターに近づいた。「問題は、この女なんだが」

そのモニター画面は、ビッグサンダーマウンテンのコースのいたるところに設置された監視カメラの映像を、十六分割画面で表示したものだった。うちひとつ、緩やかな曲線を描く線路の上に、うつむいて座りこんでいる女の姿があった。たしかに美装部の水いろのコートを身につけている。

目を凝らしたとき、後藤はそれが誰なのか判別がついた。思わず声をあげた。「藤木恵里さんだ」

由美子が驚いたようすでモニターに駆け寄る。画面に顔をくっつけんばかりにして、不鮮明なその映像に見いったあと、怯《おび》えた顔を後藤に向けてきた。「たしかに藤木さんだわ」

数秒は立ちすくんだ。ビッグサンダーマウンテンの線路、故意に立ち入ったとしか思えない。その意図することも、ほぼあきらかだ。

後藤は思わず駆けだした。階段を昇って非常口に走り寄ろうとしたとき、警備員が追いかけてきて、後藤の腕をつかんだ。

「まて」警備員が怒鳴った。「どこへいくつもりだ」

「きまってるだろ。あの子を連れ戻しにいくんだよ」

「駄目だ。このケースで線路にでられるのは、正社員とエンジニアだけだ」

「なんだって」後藤は面食らっていった。「こんな状況でもマニュアルを遵守《じゅんしゅ》しろって？　ありえないよそんなの」

「後藤君」由美子が困惑した顔で告げた。「準社員はアトラクションの稼働《かどう》する場所に立ち入っちゃいけないの。コースターは停まってるんだし、恵里ちゃんにも危険はないんだから、社員が来るのを待ちましょうよ」

後藤は由美子を見つめながら思った。由美子と自分とでは、意識にひらきがある。その差はいったいどこで生じたのだろう。同じ準社員の立場だというのに。

答えはすぐにみつかった。自分は美装部員だからだ。きのう一日でしかないが、藤木恵里と同じ部署で同じ仕事を受け持った。そして彼女が追い詰められ、苦しんでいる局面をたびたび目にした。それだけでも、彼女に共感するには余りある理由だった。

「ほうってはおけないよ」後藤はそういって、非常口に向かった。

「後藤君」由美子の制止する声が背に届いた。「やめて。行かないでよ」

警備員の声もきこえた。「規則に違反したらクビになるぞ」

その声は後藤の決心をぐらつかせる要因にはなりえなかった。むしろ後藤の背を後押しした。こんなことでクビになるような職場なら、こちらから願いさげだ。同僚が自殺しようとしている。見過ごすことが正しいなんて、そんな考えがありうるはずがない。

後藤は外にでた。ビッグサンダーマウンテンの線路の上に降り立った。

その岩山の谷間を模したコースターの進路は、ゲストとして乗ったときの印象よりも幅が広かった。砂利の上に等間隔に枕木《まくらぎ》が敷かれ、二本のレールが走っている。電車と同じにみえたが、構造は少し複雑なようだった。レールの内側には窪《くぼ》みがある。細かい仕組みはわからないが、車輪の一部がその窪みに嚙《か》み合うようになっていて、脱線しない構造になっているのだろう。

砂利を踏みしめて坂道を昇っていった。曇り空の下では、岩肌は本物にみえた。が、ふだんから雨風に晒《さら》されているせいか、老朽化してあちこちに小さな穴があいている。鉄筋の骨組みが露出しているところもあった。猛スピードで駆け抜けるせいで、ゲストの目には判別できないのだろう。

蛇行する道をしばし歩くと、ほどなく線路に座る人影がみえてきた。

藤木恵里はレールの上に腰を下ろし、膝《ひざ》を抱えて地面に視線を落としていた。

後藤はゆっくりと近づいていった。

その足音を聞きつけたらしい。恵里は顔をあげた。こわばった顔でよろめきながら立ちあがると、ふらふらと後ずさりだした。

「藤木恵里さん」後藤は声をかけた。

恵里は叫びに似た声をあげた。「こないで！」

怯えきっている。動揺のみならず、神経が張り詰めて興奮状態にあるようだ。ここは冷静に説得せねばならない。

「落ち着いて」後藤はその場に立ちどまった。「こんなところに居座って、死ぬつもりかい？　ビッグサンダーマウンテンは停止したんだよ。もう轢かれることはない」

ところがそのとき、レールの上を車両が滑ってくる金きり音がきこえた。轟音《ごうおん》が接近してくる。後藤はびくついて、全身を凍りつかせた。

が、その走行音は岩山の向こうを通り過ぎて、また小さくなっていった。

後藤は安堵《あんど》のため息をついた。あれはコースターではなく、平行して走っているウエスタンリバー鉄道の音だ。よかった。深呼吸して、自分の緊張を解こうとする。思わず恵里に笑いかけた。

恵里のほうは、後藤の臆病《おくびょう》さに気づいたらしく、あからさまに失望の念を浮かべてその場に座りこんだ。

露骨に顔をそむける恵里に、後藤は言葉がみつからず口ごもった。

どうやら、沈着冷静さを装《よそお》おうとした当初の計画は挫折《ざせつ》に終わったようだ。恵里は後藤をけっして頼りがいのある男とはみなしていないだろう。

やはり付け焼刃の芝居には無理がある。心を開いて、すなおな気持ちをぶつけるしかない。そう思いなおした。

しばし後藤が黙っていると、恵里が目を向けてきた。かろうじて聞こえるていどの小声で、恵里はささやいた。「美装部のひと?」

恵里の目は後藤の服に向けられている。後藤はうなずいた。「そう。美装二課の後藤。覚えてないかもしれないけど、きのうもパレードビルの前で会ったんだよ」

「っていうと、準社員?」

「うん。きみと同じ準社員」

そう。恵里はつぶやいて、暗い表情のままうつむいた。

後藤は頭をかきながらいった。「正社員に来てほしかった?」

恵里は顔をあげなかった。「そういうわけじゃないけど……」

言葉とは裏腹に、後藤は恵里の真意がそこにあるような気がした。「ねえ。こんなところに立ち入ったのは、正社員に会って話をするためじゃないのかい? 本気で死のうとしてたわけじゃないよね?」

しばらく沈黙があった。

「さあ」と恵里はいった。「わからない」

後藤は戸惑いを覚えた。自殺が本気だったかどうかで、こちらの対応も変わらざるをえない。死ぬ気もないのに、学校の教師や職場の上司の気をひこうとして自殺未遂を引き起こす人もいるときいた。恵里の真意がどこにあるのか、それを見極めるのはむずかしかった。

だが、恵里は後藤の迷いを察したかのようにいった。「本当にわからないの」

「え?」

「わたし自身が死にたがってるかどうか。自分でもよくわからない」

憂《うれ》いに満ちたその横顔に、恵里は本心を語っているのだろうと後藤は思った。自殺が狂言にすぎないのなら、自分の気持ちがわからないなどとは主張しないだろう。

「そのう」後藤は慎重に言葉を選んだ。「辛《つら》いのは、よくわかるよ。ミッキーの着ぐるみがどっかにいっちまったぐらいで、きみをあんなふうに問い詰めて、犯人扱いして……。誰だって落ちこむよ」

恵里は顔をそむけ、手で口もとを覆《おお》った。肩を震わせている。泣いているようだ。

後藤の当惑はいっそう募った。どう話したものか見当もつかない。

ひとまず、恵里について知りえていることを思いつくまま、言葉にした。「恵里さんって、ダンサー志望なんだって？　スタイルいいし、かっこよく踊れそうだもんね」

恵里の肩の震えがとまった。

少し顔をあげて、恵里はつぶやいた。「でもオーディションに落ちてる。何回も」

「まあ、そりゃ、運ってものもあるからね……」

恵里は首を横に振った。「いつもわたしだけうまく踊れない。練習ではできてることが、オーディションの会場にいくと、できないの。身体《からだ》が自分のいうことをきいてくれない。サイドリーディングさえぎこちなくて、初心者以下だっていわれた」

「本番って緊張するからね」

「ダンサーになったらいつも本番。でもわたしは、それに対応できない。だから落とされる」

「でもさ」後藤は素朴な疑問をぶつけた。「なにも美装部の仕事をしてまで、キャストに留まってないといけないの？　ダンサー以外はやりたくないって主張すればいいんじゃない？」

「キャストのほうが優先されるの。知識があるし、オーディションも定期的におこなわれるし。それに……」

「それに、なに？」

「ダンサーでなくても、この仕事は楽しいし」

楽しい。意外な返答だった。あれほど辛そうにしていた恵里の口から、そんな言葉が発せられるなんて。

「そう」後藤は驚きに包まれたままいった。「それはちょっと、予想外だったな」

恵里の目が後藤をみた。瞳《ひとみ》がかすかに潤《うる》んでいる。「予想外って？」

「だってさ」後藤は、恵里から少し離れた場所に腰を下ろした。「着ぐるみを壊したぐらいであんなに怒られて……」

「見てたの？」

「通りがかったから……」

「あれはわたしが悪いの。ひとりで仕事を終えようとして、男のひとの力を借りようとしなかったから」

「わからないな。ダンサーになりたいのに、いまの仕事といえば、重くてでかい頭をクルーにかぶせては、着ぐるみの背中のファスナーを締めるだけ」

「あなたも美装部員なんでしょ？　仕事楽しいとは思わない？」恵里は後藤の胸もとのネームタグに目を凝らした。「ええと……」

後藤は腰を浮かせて、恵里に近づいた。並んで座りながら、自分の胸を指し示した。

「後藤だよ。後藤大輔《だいすけ》。きのう入ったばかりなんだ」

恵里が警戒心を働かせたようすはなかった。むしろ緊張を和らげたらしく、微笑さえも浮かんだ。恵里はきいてきた。「じゃあ、後輩だったの？」

「そうだよ。偉そうなことばかりいってごめんね。まだステップ1ってやつでね」後藤は言葉をきった。自分のほうこそ、率直な気持ちを口にできる機会を得た。そんなふうに感じた。「正直なところ、仕事が楽しいかどうか、僕にはよくわからない」

「どうして？」

「どうしてって……」後藤は指先で額をかいた。「準社員に採用される前にさ、研修でディズニーの哲学ってやつを学んだろ？　ウォルト・ディズニーは映画プロデューサーだったから、ディズニーランドも遊園地じゃなくて映画的発想でつくった。入り口がひとつしかないのも、そこから入ってワールドバザールを通って、シンデレラ城がみえてきて……っていう、ストーリー性を大事にしてたからだって。仕掛けも面白いと思ったなぁ。ワールドバザールって、奥に向かうにつれて微妙に道幅が狭まっているんだよね。そのせいで遠近感に錯覚がおきて、シンデレラ城が遠くにあるようにみえるっていう……。すごいなぁって思ったよ。なにからなにまで考え抜かれててさ。こんな夢の舞台で働くのって、どんなに楽しいだろうって思ったよ」

恵里がうなずいた。「誰でもそう思う」

「働く人がみんな出演者《キャスト》っていう発想も気にいったな。オンステージではみんなにこにこしてる。ゲストの夢を守るために、みんなが一丸となって頑張ってる。夢と魔法の王国が本当に存在するかのように思わせてくれる。僕も仕事ってものに就くなら、そういうことをやりたいって思った。だけどさ……」

「美装部にまわされて不満だったとか？」

「いや」否定するのは的確でないかもしれない。後藤はそう思いながら、発言に若干の修正を加えた。「まあ、そりゃ、表に立って働きたかったってのもあるけどさ。それより、当たり前のことかもしれないけど、裏側は現実なんだなってね。甘かったのかもしれないけど、ゲストとしてインパークしてたときに抱いていた印象と同じ世界が、バックステージにも広がっていると勝手に信じてたのかもしれない。人の好き嫌いだとか、対立だとか、まして喧嘩《けんか》なんて存在しない職場があるって思いたかったのかもしれないね。実際は違ってた。ここは、ほかのアルバイト先と変わらない。準社員は正社員より下。マニュアルどおりに動くだけ。正直な話、心底がっかりしたよ。ここにある物はぜんぶ作り物だって再認識した。ちょうど、この岩山と同じようにね」

恵里の目が大きく見開かれ、後藤をまじまじと見つめた。真剣なまなざしで、恵里は問いかけてきた。「辞めたいと思った？」

「それがね」後藤は思わず、ふっと笑った。「ふしぎなもんだ。辞めたいなんて、さらさら思わない。どうしてこんな気分になるのかな。強いて言うなら、ここが魔法の世界でないってことがわかったから……、すべてが手作りだってことが嫌というほど理解できたから、僕たちが支えてなきゃいけない。そんなふうに感じるようになったってことかな」

「あまりよくわからないんだけど」

「まあ、僕も完全に納得したわけじゃないんだけどね。でも、美装部は着ぐるみの一体ずつ、すべてに責任を負ってる。ほかの部署もそれぞれ、ゲストの目に直接触れることに関わってる。ディズニーランドの経営自体は本社の人間が管理してるかもしれないけど、このテーマパークに存在するあらゆる幻想は、準社員のキャストの手によってつくりだされてるんだ、そう思えるようになってきた。僕らの替わりはいくらでもいるかもしれないけど、でも、ここにいる以上は、僕らがディズニーランドを支えていることに変わりはない。だから頑張らなきゃいけないなって、ま、そんなことを考えたりしたよ」

すべてが本心ではないことは、自分でもよくわかっていた。綺麗《きれい》ごとすぎる。みずからの職務に関する定義に、納得のいかない部分があるのは承知していたが、しかし恵里を説得するためにはこれしかないと思った。

後藤の残した曖昧《あいまい》さは、そのまま恵里につたわったようだった。少しばかり釈然としない面持ちながらも、恵里はうなずいた。「そうかもしれない。わたしも、仕事に感じる楽しさは、ゲストが喜んでくれることにあるって思うから……」

後藤は当惑していた。みずからが口にした職場への礼賛《らいさん》を、どこか詭弁《きべん》と知りながらも受けいれなければならない、そんなふうに感じている後藤よりも、恵里はずっと純粋に思えた。いたってすなおに、ディズニーランドの精神や哲学を自分のなかに宿らせようと努力しているようにみえる。

素直な女の子だった。それゆえに傷つきやすいのだろう。

だとするなら、ますます放ってはおけない。後藤はそう思った。

「元気だしていこうよ」と後藤はいった。「いまもきみはゲストのために夢をつくりだすキャストのひとりだ。そして、やがてはダンサーになる自分の夢もかなえなきゃいけない。希望はまだ潰《つい》えてないんだし、投げだしちゃいけないよ」

恵里は黙りこくってうつむいていたが、やがてその瞳に大粒の涙が膨《ふく》れあがった。それが頬をこぼれおちそうになったとき、恵里の指がさっとぬぐった。

「ありがとう」と恵里はいった。

「どういたしまして」後藤は笑った。「さあ、戻ろうよ」

恵里はうなずいて、ゆっくりと立ちあがった。先に立って歩きだそうとしていた後藤の背に、恵里は声をかけてきた。「後藤君」

「なに？」と後藤は振りかえった。

「わたしね」恵里は真顔で、静かにいった。「ミッキーマウスを盗んだりしてない。

隠したりもしてない」

後藤は恵里を見つめていた。恵里も、後藤を見つめかえしていた。辺りは静けさに包まれていた。遠方から、蒸気船の汽笛の音が風に乗って運ばれてくる。もの音もそれだけだった。

「信じるよ」と後藤はうなずいた。

恵里の顔に微笑が浮かんだ。ごく自然な笑みだった。

ふいに、砂利を踏みしめて歩く複数の足音がきこえた。後藤は前方を見た。

スーツ姿の男たちが数人、線路上を足ばやにこちらへと向かってくる。見慣れない顔ばかりだった。正社員かもしれないが、きのうクラブ33にいた連中とは、あきらかに質の異なる人間だった。もっと顔つきがいかめしく、目つきが鋭く、身のこなしにも隙《すき》がなくみえた。

先頭に立つ長身の男が、恵里に近づいていった。両手をポケットに突っこんで、恵里をじっと見下ろす。

「調査部の沼丘重松《ぬまおかしげまつ》だ」と男はいった。「きみは自分がなにをしてるのかわかってるのか。アトラクションを停止させて、わが社がどれだけ損害を被《こうむ》っていると思ってる」

唐突な叱責《しっせき》に、恵里は困惑と恐怖のいりまじった表情を浮かべた。無理もないと後藤は思った。沼丘という男は、恵里がこの場に居座っているときいて駆けつけたのだろうが、いまは状況が変わりつつある。

後藤は声をかけた。「沼丘さん、あのう、彼女はもう……」

だが、沼丘は後藤に一瞥《いちべつ》をくれただけで、ふたたび視線を恵里に戻した。憤《いきどお》りをあらわにしながら、沼丘は恵里の腕をつかんでねじあげた。

「来い」と沼丘は怒鳴った。「これ以上迷惑をかけるようなら、賠償を請求するぞ」

恵里の表情は苦痛に歪《ゆが》んでいた。沼丘の握力は相当なものに違いなかった。

「まってください」と後藤は沼丘にいった。「彼女の側にも事情が……」

「邪魔をするな!」沼丘はもう一方の手を振りかざすと、後藤の頬《ほお》をしたたかに打った。

思わずよろめくほどの衝撃が走った。それから、痺《しび》れるような痛みが顔の半分にひろがる。後藤は歯を食いしばって苦痛に耐えた。

恵里が怯《おび》えきった顔で後藤を見ている。後藤はそんな恵里を、ただ見つめかえした。

沼丘が恵里を連れて歩きだした。ほかの男たちも、それを囲むようにして歩を踏みだす。

立ちさりぎわに、ひとりの男が後藤を振りかえっていった。「おまえも早く来い」

後藤はその場にたたずんでいた。できることなら、このまま自分が恵里の代わりに線路上に居座ってやりたい、そんな思いが頭をかすめた。やつらに反抗できる選択肢があるなら、あくまでそれを選びつづけてやりたい。

だが、そんなことはできなかった。恵里が連行されていく。彼女の身が心配でならなかった。恵里がみずから線路に立ち入ってアトラクションの運行を妨害した、それはまぎれもない事実だ。ミッキーマウスの紛失をも絡《から》めて、彼女が本社の人間に執拗《しつよう》な追及を受けることは間違いなかった。

彼女を弁護できるのは、自分しかいない。その一心で、後藤は男たちの後を追った。どんな申し開きができるのか、それはまだわからない。けれども彼女を、ひとりにはできない。

未成年

後藤がビッグサンダーマウンテンの岩山のなかに戻ると、小部屋には大勢の人間がひしめいていた。ほとんどはスーツ姿の正社員で、どの表情も険しく、周囲に放つ威圧感は検事か刑事さながらだった。

恵里はその男たちのなかにいた。床に目を落とし、身をちぢこませながら、怯えきったようすでただ震えている。

そのようすはあまりに痛々しく、後藤は胸を締めつけられるような思いだった。決行に踏みきる意志があったかどうかはともかく、恵里が自殺を図ろうとしたのはあきらかだし、ミッキーマウス紛失について責任を厳しく追及されるプレッシャーが絶大なものであったことは容易に推察できる。そして不幸なことに、恵里はそのストレスに耐えきれるほど強靭《きょうじん》な心の持ち主にはみえなかった。

桜木由美子《ゆみこ》と目が合った。由美子はスーツ組らによって壁ぎわに追いやられ、ただ不安げな顔で後藤を眺めるばかりだった。後藤は視線を落とした。由美子に心配をかけてしまったことが、なぜか悔やまれるように感じられた。

調査部の沼丘は携帯電話を片手にしきりに話しこんでいたが、やがて電話をきると、ほかのスーツに向き直った。「やはり警察に通報するのはまずいという判断だ」

社員のなかから怪訝《けげん》な声があがった。「どうして？　アトラクションの運行妨害はれっきとした事実だろ」

「その妨害行為を働いたのがキャストだなんて、とても公表できん。まして、警察が自殺未遂の動機を調べたら、ミッキーマウス紛失の件についても吟味《ぎんみ》されることになる。着ぐるみをなくしたことが米ディズニー本社に知れたら、契約違反で告訴される」

「そうはいっても、ミッキー紛失についてパーク内の捜索以外、なんの手立ても講じていなかったと後になってわかれば、そのほうが問題視されるかもしれんだろ。窃盗に遭った可能性もあるんだから、被害届をだしておいたほうが責任を回避できるんじゃないのか」

「ばかいえ」別の社員が声を荒げた。「被害届なんかだしたら、ミッキーの着ぐるみ紛失が報道されてしまう。ミッキーを公《おおやけ》に着ぐるみと定義づけるだけでもディズニー本社との契約違反になる。ミッキーの着ぐるみなんて存在しない。表向きには、その姿勢は貫かねばならない」

さらにほかの社員がつぶやくように発言した。「だが、もし着ぐるみが外部に持ちだされてたらどうする？　セキュリティゲートで警報が鳴る仕組みだというが、そこをまんまと運びだされていたら？　どこかで着ぐるみが見つかったらどうするね。拾得物として警察に届けられたりしたら、その過程で写真が新聞に載る可能性だってある。ミッキーマウスのヘッドに胴体にグローブ、すべてばらばらにテーブルの上に並べられて写真におさめられ、それがマスコミに流布《るふ》したらどうなる。防ぐためには、先んじて警察に根まわししておく必要があるだろ」

「マスコミにも協力を求めたほうがいい」と年配の社員がいった。「誘拐《ゆうかい》事件と同様に報道協定のようなものを呼びかけて、ミッキーマウスの着ぐるみについていっさいの報道を差し控えるように事前に申し合わせておくことだ」

一同がざわついた。スーツ組の誰もが口々に発言し、他人の言葉には耳を傾けようとはしない。その喧騒は、静まりかえった壁ぎわのキャストたちとは対照的だった。

「静かに」沼丘がしかめっ面《つら》でいった。「各メディアとのコンタクトは上が判断をくだすことであるし、実行も広報部にまかせておけばいい。調査部としては、いかに内々に処理するかを考えなきゃならん。この女に事情を聴いてすべてがあきらかになるのなら、それに越したことはない」

視線がいっせいに恵里に降りそそぐ。恵里は小刻みに震えていた身体《からだ》を一瞬、びくつかせた。

社員のひとりがいった。「きのう美装部の人間にきいたんですが、彼女は十九歳だそうです。未成年の準社員ですから、親を呼んだほうがいいんじゃないですか」

そうだな、と沼丘はいった。「家にも連絡をとることにしよう。とにかく、自殺未遂を働いた理由をきこうじゃないか。さ、いくぞ」

沼丘に引き立てられそうになったとき、恵里は救いを求めるような目を後藤に向けてきた。瞳《ひとみ》は潤《うる》み、いまにも泣きだしそうな顔をしている。

彼女はなにかを訴えたがっている。後藤はそう直感した。だが、このような状況では口をきくことすらままならない。正社員たちはあまりにも彼女を犯人扱いしすぎている。

「まってください」後藤は沼丘に駆け寄った。「彼女が線路に立ち入ったのは、そうでもしないと正社員のみなさんに会って話をすることができないからで……」

だが、沼丘は片手をあげて後藤の抗議を制した。沼丘は後藤のネームタグを一瞥してから、高圧的な態度でいった。「後藤大輔《だいすけ》。きみは準社員として美装部で働く身だろ。ひとつ聞きたいが、きょうこれからの予定は?」

「あの」後藤は口ごもりながら、頭のなかのシフト表をたしかめた。「午前のショーが終了した時点で、また楽屋の掃除を……」

「なら、そろそろいかないと間にあわんだろ。会社はきみに時給を払っている。勤務時間内、一時間ごとに会社に対する貢献があって初めて、恩給を受けるに値する。その意味をよく理解しておくことだ。ここは学校でもなければ、夢の国でもない。会社だ」

沼丘の冷徹な目が後藤をじっと見据えた。どんなに気の強い男でもすくみあがらせてしまうような射るような目つき。後藤は凍りついていた。目を逸《そ》らすことさえ不可能な、圧倒的な力の落差をまざまざと見せつけられている、そんな実感があった。

対峙《たいじ》は数秒のあいだつづいた。沼丘は恵里の腕をつかんだまま歩きだした。恵里は抵抗の素振りをみせたが、すぐに力に屈して歩きだした。そうせざるをえない現状がそこにある。恵里は涙ぐんでいた。

スーツの男たちが沼丘につづくように、ぞろぞろと立ち去っていった。何人かが後藤を振りかえった。その視線も、一様に冷たかった。準社員の意見も聞いておかねばならない、そんなふうに提言する気配は、微塵《みじん》もなかった。

しばらくのあいだ、後藤はその場に立ち尽くして、通路を歩き去っていく正社員たちの背を眺めていた。

どれだけ時間が過ぎただろう。目の前にハンカチが差しだされた。

後藤はそのハンカチの持ち主をみた。由美子は無表情のまま、後藤を見つめていた。

「頬が腫《は》れてる」と由美子はつぶやいた。「それに、ちょっと血がでてるし」

ハンカチを汚したくはなかった。指先で頬にそっと触れる。たしかに唇にぴりっとした痛みを感じた。指に目をおとすと、赤いものがついていた。

「平気だよ」と後藤は笑ってみせた。「さて、ショーベースにいかなきゃ」

なにかをいいたげな由美子に、後藤はあえて耳を傾けまいとした。責められようと、あるいは気遣いを受けようと、現状は変わるものではない。恵里は精神的に追い詰められ、正社員たちに連行されていった。そして自分はそんな正社員たちに対し、一矢《いっし》報いることさえできなかった。

由美子や、アトラクションのキャストたちの視線を背に受けながら、後藤は歩きだした。

自分は、間違っているんだろうか。場違いなところにいるのだろうか。そんな疑問が、ふと頭をかすめた。

楽屋

トゥモローランドに向かうと、ショーベースから大勢のゲストが掃きだされていた。ステージは静寂に包まれている。ショーは終了したらしい。

後藤は歩を速めた。本来ならフィナーレまでに楽屋に戻り、待機していなければならない。ミッキーマウスの着ぐるみを脱がすのは後藤の仕事ではないが、雑務を仰《おお》せつかる可能性はある。ミッキーが楽屋に戻るころには、後藤もその場にいる必要があった。

裏口から入って階段を昇る。廊下を駆けていって、ミッキーマウスの楽屋へと向かった。

と、楽屋の扉が開き、ベテランの美装部員らが台車に乗った大きな青い袋を運びだしていた。着ぐるみを運搬するさいに、ゲストの目に触れないようにするための袋。ミッキーマウスの着ぐるみを乾燥機に運び、午後のショーに備える。キャラの違いを除けば、ベテランたちの仕事内容も後藤のそれと大差ないようだった。

ベテランは後藤をちらと見て、仏頂面《ぶっちょうづら》でいった。「遅いな」

「申しわけありません」後藤は頭をさげた。

だが、先輩の美装部員は遅刻の理由を問いただすことはなかった。台車を押して立ちさりながらいった。「楽屋、掃除しておけよ。午後のショーは一時からだ」

はい。後藤は力なく返事をした。立ち去っていく美装部のベテランを見送り、楽屋の扉に向かう。

扉をでてきたスーツ姿の正社員と目が合った。この社員も後藤に対し、なにもいわなかった。本社の人間とはいえ、部署が違えば騒動も聞き及んでいないのだろう。ただし、準社員よりも心理的に優位な立場に身を置こうとする、どこか稚拙な感情が見え隠れする態度は、調査部の連中と似通っていた。この男も、すれ違いざまに後藤に見下すような視線を向けてくる。

後藤は楽屋に入った。けさ掃除したばかりだというのに、室内はすでに散らかっていた。紙くずや糸くず、着ぐるみの修復に用いられたとおぼしきカッターや接着剤が床に散乱している。

きのうパレードの着付けを担当した後藤は、たったいちどの作業でかなりのごみが生みだされることを知っていた。が、この楽屋の散らかりようは尋常ではなかった。パレードの準備のために道端で作業する美装部員たちは、みな着付けをおこないつつ道具を片付けたり、ごみを一箇所にまとめたりしていた。正社員とベテランたちにはそのような遠慮がないらしかった。

ため息をつき、ゴミ袋をとりだして片付けに入る。そのとき、部屋の奥で物音がした。

衝立《ついたて》の向こうから久川庸一が姿を現した。ワイシャツの胸もとをはだけている。着替えの最中だったらしい。

「あ、失礼しました」と後藤はいった。「掃除に入ろうかと思いまして」

久川はシャツのボタンをとめながら、無表情にいった。「かまわんよ。つづけてくれ」

「はい」と後藤は紙くずを拾い、ゴミ袋のなかに放りこんだ。

しばらく黙々と作業をつづけた。燃焼物のゴミは袋に回収、道具類はワゴンの上に並べる。正社員らが持ちこんだらしい飲み物の空き缶は、アルミとスチールに分けてそれぞれの袋にいれる。そんな仕事にしばし没頭した。

ふと久川が沈黙をやぶった。「藤木恵里さん、動揺してなかったか」

後藤は驚いて顔をあげた。久川は、鏡の前でネクタイを整えている。後藤のほうに視線を向けようとはしなかった。

「なにがあったか、ご存知だったんですか」後藤はきいた。

「ビッグサンダーマウンテンの線路に立ち入った件はさっききいた。調査部の連中が出張《でば》ってきたこともな」久川は袖《そで》のボタンをとめながらいった。「保安部でなく調査部がきたってことは、着ぐるみの紛失についても彼女を疑ってるんだろ」

「そうなんです」後藤は久川に近づいていった。「まるで恵里さんが盗んだといわんばかりです。たしかに線路に入ったのは悪いことですが、弁解を聞こうともせずに……」

ところが、久川は淡々とした口調で後藤を制した。「彼女はショー終了時、ミッキーの着ぐるみの管理に責任を負っていた。彼女の管理下にある状況でミッキーは紛失した。その事実に、変わりはないだろう?」

「それは、そうですけど……」

久川は上着を羽織ると、戸口へとつかつかと向かっていった。同情心のかけらもしめさないその横顔。

やはりこの男も現場で働いているとはいえ、正社員のひとりにすぎないのか。法学部出身だけに言動も検事のようだ。後藤は落胆を覚えた。どこにも味方などいやしない。

と、久川が足をとめた。しばし考えごとをするように立ちどまってから、ゆっくりと振りかえる。

久川は真顔で後藤をじっと見つめていった。「午後のパレードとショーが終わったら、僕からもいっておくよ。公正な調査をするように、そして、藤木恵里さんに不当な圧力をかけないようにね」

後藤は一瞬、呆気《あっけ》にとられた。状況を把握しきれないまま、あわてていった。「はい。是非、お願いします」

いつも険しいばかりの久川の表情が、少しばかり和《なご》んだようにみえた。掃除、よろしく頼むよ。久川はそういって、扉をでていった。

後藤はここでもまた、呆然《ぼうぜん》と立ちつくすしかなかった。しかし、その胸中はさっきまでとは違っていた。希望はある。初めてそんな思いが心に宿った。行き先のみえない真っ暗闇《くらやみ》の道を歩みつづけ、ふいにかすかな光がさした。そういう感覚があった。

いや、まて。あの久川が、同情心から動くことを買ってでるだろうか。疑念は渦巻いた。それでも後藤は、自分の猜疑心《さいぎしん》を頭から追いはらうことにきめた。わかってくれる人はかならずいる。それがあの久川でないと、どうしていえるだろう。

チップとデール

桜木由美子《ゆみこ》はワールドバザールからアドベンチャーランド方面へとつづく、二十世紀半ばのアメリカ風の街並みを歩いていった。この辺りを歩いていると、カリブの海賊はどこですかと尋ねられることが多い。入り口が小さく、見つかりにくいからだろう。きょうはそんな声はかからなかった。ゲストも閑散としている。空模様が怪しいからだった。

見あげると、厚い雲が上空を覆《おお》っている。いまにも降りだしそうだった。が、午後のパレードが中止になるかどうかはわからない。舞浜の気候のなせるわざか、千葉県一帯が大雨であってもディズニーランドでは薄日が差すとか、そんな状況は頻繁にある。これもディズニーの魔法のひとつだろう。ゲストにとっては最後まで希望を持つことができる逸話だった。雨天中止を待ち望んでいるクルーや美装部員たちにとっては、気の毒なことであるが。

アドベンチャーランドに入ると、ゲストが中央の広場に集まっている。チップとデールが駆けまわっては、追いついてきたゲストたちとの写真撮影に応じていた。奇妙なことに、二匹が着ぐるみの上から身につけているのはポリネシアン・パラダイス・ディナーショーのときの衣装だった。

由美子は首をかしげた。あの服でフリーグリーティングをおこなうなんて珍しい。

キャラクターたちから少し離れた場所に、美装部のコスチュームを着た男が立っていた。由美子はその顔なじみのキャストに声をかけた。「尾野さん」

「ああ、由美子ちゃんか」尾野は仏頂面のまま、二匹のリスを遠目に眺めていた。

「どうしたんですか。オンステージに出ないはずの美装部員が、フリーグリーティングについてきてるなんて」

「あの服だよ」尾野はいった。「この天候のせいでゲストをつなぎとめなきゃならない。アドベン方面は新しいアトラクションもなくて手薄でね。で、フリーグリーティングでゲストのご機嫌をうかがおうって判断がでたんだが、空いているクルーがディナーショー用のチップとデール役しかいなかった。ふたりの体格に合わせた着ぐるみも、ディナーショーのものしかない」

「ステージ用のをグリーティングに使ってるの？　ゲストが触って装飾品がとれたりしたら……」

「だから、俺が待機してんだよ」尾野はコートの裏地をみせた。懐《ふところ》に接着剤とハサミ、ソーイングセットのケースがおさまっていた。

「ご苦労さま」由美子は微笑《ほほえ》みかけた。「でも、ゲストの目の前でキャラの修理をおこなうわけにはいかないでしょ？」

「心配ないって。そのへんの木陰に連れていって、ささっと直しちまうから。きみのほうこそ、オンステージでそんな内輪話していいのかい。ゲストがいる場所で夢を壊す発言は厳禁だろ」

由美子はため息をついた。そうね、とつぶやいて、頭に刻みこまれたマニュアルの文面を暗唱する。「オンステージはショーを提供する場であり、ゲストにサービスをする場です。プライベートな感情は持ちこまず、親しみにあふれたショーを演ずること……か。きょうのわたしは失格ね。現実が気になってばかりだし」

「藤木恵里のことか」尾野はつぶやいた。「早瀬さんも頭を抱えてるよ。どうなるのか見当もつかん」

「それに」由美子はいった。「後藤大輔《だいすけ》君も」

尾野が由美子を見やった。「あいつが気になるのか?」

「気になるっていうか……」由美子はふっと笑った。たしかに、わたしはなにを気がかりに思っているのだろう。「なんていうか、入ったばかりのころを思いだすのよね。あの一所懸命だけど、不器用で、まだ夢から醒《さ》めていないところが」

「まだゲストに片足突っこんでるからな。心配ない、そのうちこっち側の人間になるさ」

こっち側。それはつまり、夢から醒めきった人間たちの集まる世界。夢は見るものではなく、与えるものだと割りきることのできた人々の集う裏舞台。

わたしはいつの間に、その一員になったのだろう。ゲストになにを与えているといえるだろうか。夢。幻想。それ以外に、なにがあるだろうか。

キャラクターがこちらに駆けてきた。鼻が赤く、一見してデールとわかる。追ってきたゲストが、由美子に気づいて声をかけてきた。すみません、写真撮っていただけますか。

「ええ、もちろん」由美子はそういってカメラを受けとった。

撮影という作業に没頭することで、由美子は疑問を振りはらおうとした。フレームをのぞきこむ。四角く切り取られた世界に、デールの横で微笑むゲストの姿があった。

夢はたしかにそこにある。ゲストにとっての夢が。わたしはその夢に参加してはいない。支えているだけだ。なぜかそんな思いが、由美子のなかに渦巻いた。

恨み

久川庸一はワールドバザールをクラブ33へと向かっていた。

ミッキーマウスの着ぐるみを身につけているときとは違い、周囲のゲストは誰も関心をしめさない。小さな男がひとり歩いている、人々の目にはそう映っているだけだろう。

どんよりとした厚い雲の下、小雨がぱらつきだしたこともあって、出口へと向かうゲストも多い。午後三時すぎだというのに、黄昏《たそがれ》どきのような暗さに包まれていた。今晩はエレクトリカルパレードも中止になるかもしれない。ウェザーセンターによると、夕方から局地的な大雨に見舞われる可能性があるらしい。ゲストには気の毒だが、久川は内心ほっとしていた。例の件のせいでクルーのまとまりも悪い。いま全員が一丸となってディズニーキャラクターを演じることは、とてつもなく骨が折れる仕事に思えた。

クラブ33に着いた。ドアを押し開けると、伝え聞いたとおり大勢の社員たちが集まっていた。

どの男も背が高い。というより、世のほとんどの男は久川よりも長身だった。この身長のせいで、かつて演劇サークルに在籍していたころには数多くの役を逃した。いまは、ミッキーマウスという世界最高のキャラクターを演じている。それでも、扮装《ふんそう》なしには役を演ずることはできない。彼ら長身の男たちは、まるでこちらが見えていないかのように振る舞う。視線が自分の頭上を行き交う。慣れていることではあるが、あまりいい気持ちはしなかった。

藤木恵里はソファに身を小さくして座っている。周囲の威圧感に心底怯《おび》えきっているようすだった。あんなふうに精神的に追い詰めることが、はたしてどんな効果を生むというのだろう。久川は疑問に感じた。

久川も顔なじみの調査部の沼丘が、頭の禿《は》げあがった中年の男と向かいあわせて話しこんでいる。「で、法務部のほうでは警察を呼んだほうがいいという声が?」

ええ、と禿げた男がうなずいた。「刑事的には、刑法二三四条、威力業務妨害罪が成立すると考えられるから、通報してもおかしくないだろう。ただ、彼女はアルバイトとはいえ従業員だから、警察を呼ぶかどうかは、会社の判断に委《ゆだ》ねられる」

「ふん」と沼丘は鼻を鳴らした。「会社としてはなにごとも公表できんと、上から再三にわたり申し渡されてる。通報は実質的に無理だな」

久川はしらけた気分になった。沼丘はわざわざ声を張りあげて、法務部の人間との会話を恵里に聞かそうとしている。次は損害賠償についての話でも持ちだすのだろう。彼女をミッキーマウスの着ぐるみの窃盗犯と決めてかかり、プレッシャーを与えて自白に追いこもうとしている。

どうしてそこまで彼女を犯人だとみなすのか。なんの根拠もありはしないだろうに。準社員への差別意識に基づいた不信感が、猜疑心まで生じさせる、ただそれだけのことではないだろうか。

クラブ33に入ってきた久川に目をとめる人間は皆無だった。久川は辺りを見まわし、ほかに知り合いがいるかどうかをたしかめた。ほどなく、対象は見つかった。室内で唯一《ゆいいつ》、久川と同じ目の高さの男だった。会いたくはなかったが、無視するのも憚《はばか》られる。

「門倉」久川はその男に声をかけた。「ここにいたのか」

腕組みをして壁に寄りかかるようにして立っていた門倉は、久川をちらと見やると、不機嫌そうにまた視線を逸《そ》らした。「暇だからな。着ぐるみが見つからないことには、俺の仕事はない」

久川は門倉の隣りに立って、同じように壁にもたれかかった。「そうか」

門倉は、クラブ33の真ん中で得意げに立ち振る舞っている調査部の人間たちを眺めながら、ぼそりと久川につぶやいた。「ショー、どうだった」

ため息まじりに久川はいった。「さすがに三回はきついな。段取りはわかっていても身体《からだ》がついてこなくなる。ミニーも動きが多すぎてバテてた」

「夏場なら四回ある」門倉は無表情にいった。「毎日繰りかえしてりゃ、体力もついてくる。ただパレードとの両立は無理があるだろうな」

「心配してもらわなくても、当面は乗りきれる」

ふうん。門倉は小声でこぼした。「だといいがな」

気に障《さわ》る言い方だが、久川はなにもいわなかった。ミッキーを演ずる者どうしが口《くち》喧嘩《げんか》になったところで、事態に進展はない。ただ雰囲気を悪くするだけだ。

部屋の中央で、沼丘がソファに腰を下ろしながら声を張った。「藤木恵里。こちらは本社法務部からお越しになった、ええと……」

「柿崎《かきざき》です」と中年男はいって、沼丘と並んで座った。「藤木さん。簡単に事実関係を整理しましょう。あなたがなんの目的でビッグサンダーマウンテンのコース上に立ち入ったかはさだかではないが、それによって同アトラクションは四十六分間の停止を余儀なくされた。よって民事においては、あなたは会社に対し民法七〇九条に基づく損害賠償義務を科せられることになります。損害額は、逸失利益であり、四十六分間の予定売り上げから、運行を停止したことで免れた経費……たとえば運行電気代を引いた金額がベースになります」

調査部のひとりが妙な顔をした。「予定売り上げといっても、アトラクションごとのチケットが販売されてるわけじゃないし、どういう計算になるんだ?」

沼丘が困惑ぎみに柿崎にいった。「いまはもうアトラクション用チケットは廃止されて、入場とアトラクションの両方を兼ねたパスポートしか販売されてない」

「え、あ、そうなんですか」柿崎は頭をかいた。「そうなると、まあその、実質的には売り上げに損害もでていないということで、賠償はなしということになりますかな」

藤木恵里への圧力が失《う》せることに戸惑いを覚えたらしく、沼丘は慌《あわ》てたようすでいった。「昨年度の調査によれば、ビッグサンダーマウンテンに乗ることを目的に来場するゲストの割合は、全体の四割に昇る。その四割のゲストは、損害をこうむったといえるんじゃないか」

「ああ、そうだ。そうともいえる」柿崎は懐から電卓をとりだした。「ええと、ビッグサンダーマウンテンが停止中に場内にいたゲストの数、かける四割。いや、その人たちも四十六分後には乗ることができただろうから、停止中にパークを出たゲスト数の四割ということになるかな」

調査部の人間は一様に首をかしげた。そのうちのひとりがいう。「そのゲストも午前中に乗ったかもしれないし、だいいちディズニーランドから外にでても、戻ってこないとは限らないしな。腕に再入場のスタンプを押してるかもしれないし……」

久川は呆《あき》れて黙りこくっていた。この場ではいったいなにが話し合われているというのだろう。ソロバンをはじくばかりで、問題の本質にはまるで目が向けられていない。

「とにかく」と沼丘は苛立《いらだ》ったようすで、恵里に詰め寄った。「金額はあとで算出するとして、会社に損害を齎《もたら》したことはあきらかだ。ゲストもがっかりしただろう。どうしてあんな真似《まね》をしたのか、理由をきかせてもらおう」

恵里は無言のまま視線を落としていた。

「白状する気はないか」沼丘はじれったそうに背もたれに身をあずけると、声高にいった。「じゃ、私から指摘しよう。きみは自殺未遂をしでかすことで、会社にダメージを与えることを画策した。それ以前にも着ぐるみを壊してばかりで、美装部員としての仕事を満足にこなしていないな？　トラブルを頻発する理由には、会社に対する恨みが根底にあるんじゃないのかね」

恵里が呆然《ぼうぜん》とした顔をあげた。「恨み……」

「そうとも。ダンサーになろうとして何度もオーディションを受けたが、落とされつづけている。その腹いせに着ぐるみを損壊するなどの行為に及んだんだろう。おおた、ショー用のミッキーマウスをどこかに隠したのもきみのしわざじゃないのか」

「違います」と恵里は慌てたようすでいった。

「いいや、違わん」沼丘は法務部に目を向けた。「柿崎さん、彼女のたび重なるミスを考慮にいれると、今回のことも偶然の気の迷いとは思えない。即刻クビになってもおかしくないと思うが」

柿崎は渋い顔でうなずいた。「まあ、そうだろうな。刑事問題を起こし、会社に損害を与えたのだから、原則として解雇は可能だろう」

恵里の顔に困惑のいろがひろがった。瞳《ひとみ》は潤《うる》みだしていた。

沼丘は腕組みをして恵里を見据えた。「クビを切られたら、ダンサーになる夢も捨てざるをえなくなる。いまのうちに白状しておいたほうが身のためだよ」

「わたしは、なにもしてません」

「まだそんなことを」

「本当になにもしてないんです。でも、なにもかもうまくいかなくて、それで嫌になって……」

「嫌になって、会社に損害を与えて自殺かね。きみもキャストだ、コースターが緊急停止することぐらい知ってただろ。騒ぎを起こして会社を困らせる。満足がいったかね」

「そんなつもりはありません」

「とぼけるな!」

沼丘の怒鳴り声は恵里を圧倒した。恵里は恐怖に身体を震わせるように身をちぢこませた。

久川はたまりかねて声をかけた。「沼丘さん。少々断定がすぎやしませんか」

沼丘はうんざりしたようすで応じた。「調査部のやり方に口をはさまないでくれませんか」

これが黙っていられるはずもない。久川は歩を踏みだし、沼丘に近づきながらいった。「ダンサーの志望者にとってオーディションは、想像以上に神経をすり減らすものです。故意でなくとも、それ以外の仕事で注意が疎《おろそ》かになったりすることもあるでしょう。それに、彼女がビッグサンダーマウンテンの運行を妨げたのは、あなたがたの執拗《しつよう》な追及のせいで精神面が弱っていたせいとも考えられるでしょう」

「われわれがなにを追及したと?」沼丘は苦笑を浮かべながら肩をすくめた。「まだこれからなんだがね」

「ショー用ミッキーの紛失があたかも彼女のせいであるかのように、決めてかかるからです」

「久川さん。だったね」沼丘の冷徹な目が真正面に久川をとらえた。「門倉さん用の着ぐるみの発見をそんなに遅らせたいかね?　ショーの舞台に立ちたい気持ちはわかるが、長い目で見れば、会社に貢献しておいたほうが希望の叶《かな》う率も高くなるよ」

背後に冷たい視線を感じる。久川は振りかえった。

門倉がじっと久川をにらみつけている。

久川は沼丘に目を戻した。沼丘はそ知らぬ顔で天井を仰いでいる。不和を植え付けようとする気か。久川は黙らざるをえなかった。なるほど、さすが調査部。社員のエゴを見ぬき、利用するのに長《た》けている。久川は内心、皮肉にそう思った。

コンピュータ管理

午後四時すぎ、早々にエレクトリカルパレード中止の業務連絡があった。ワードローブビルの従業員食堂には歓声があがった。ゲストがこのようすを知れば憤慨するかもしれないが、キャストにしてみればごく自然なことだ、後藤はそう感じた。一回のパレードがいかに重労働か、参加した者でなければ理解できないだろう。やるのは楽しいが、休止になるのも別の意味で嬉《うれ》しい。複雑な心境だった。

美装部のオフィスに戻った。パレード中止とあって美装二課は暇を持て余している。ほぼ全員がデスクについていた。尾野は雑誌を読みふけっているし、笹塚《ささづか》はなにやら熱心にパソコンに興じている。後藤が入室しても、声ひとつかからない。

いつものことだ。二日目にして、職場の状況に慣れている自分がいた。いや、そもそも職場とはこんなものだったはずだ。ディズニーランドが特殊だという思いこみのせいで、かえって認識が遅れただけのことだった。

後藤は自分のデスクにおさまって、シフト表にチェックをつけた。ショーは終了、Eパレは中止となれば、きょうの仕事はもう残っていない。だが、帰ることは許されていない。勤務時間内はここにいて、着ぐるみの修理など臨時の仕事に駆りだされる可能性を待たねばならない。

戸口を入ってきた桜木由美子《ゆみこ》が声をかけてきた。「後藤君。ほっぺたのほうだいじょうぶ?」

「ああ」後藤は頬に指先で触れた。「もう腫《は》れはひいたんじゃないかな」

「念のため、医療部で消毒してきたら?」

「心配ないって」後藤はデスクに両肘《りょうひじ》をついて、頭を抱えた。思わず深いため息が漏れる。

由美子はデスクの脇《わき》に立ち、後藤の心情を察したようにつぶやいた。「恵里ちゃん、どうなっちゃうのかな」

オフィスはしんと静まりかえっている。誰もが口にしたがっていない話題だったことはあきらかだった。

尾野が雑誌を眺めたまままいった。「たとえビッグサンダーマウンテンの件が不問になったとしても、ミッキーの着ぐるみについちゃ会社もしつこいだろうね。会社の面《めん》子《つ》に関わるからな」

今度は由美子がため息をついた。「よりによって紛失時の担当だからね……。会社も責任をなすりつけたいと考えてるんじゃないかな」

と、そのとき、笹塚が声をあげた。「いや。それは無理かもしれんよ」

後藤は妙に思って笹塚を見た。「どういうことですか？」

笹塚はパソコンの画面をしばし眺めていたが、やがて確信したように目を見張っていった。「藤木恵里さんはミッキーの着ぐるみを、間違いなくトラックに載せてるよ」

後藤は立ちあがり、デスクを迂《う》回《かい》して笹塚に近づいた。「なぜわかるんですか」

そのパソコンの画面には、複雑な図表が表示してあった。笹塚は画面を指し示していった。「これ、正社員だけがパスワードで入れる本社のデータだけどね。ミッキーが紛失した当日のデリバリーセンターの記録」

「デリバリーセンターって？」

由美子が近づきながらいった。「バックステージを運ばれる貨物がいったん集められるところ。指示にしたがってそれぞれの部署に配送される」

「そう」と笹塚はうなずいた。「表のなかの黄色のアイコンが全部着ぐるみ。それぞれが一体ずつ青い袋におさめられて運ばれる。そのなかの、ええと、どこだったかな……、あ、これだ。このE171っていうのがショー用ミッキー。ちゃんと午後七時十三分に、ほかの着ぐるみと一緒にデリバリーセンターに届いてる」

「ほんと?」由美子が目を丸くした。「デリバリーセンターに届いたんなら、すぐ隣りのランドリーセンターに送られるでしょ」

「ところがね」笹塚はマウスをクリックしてページを送った。「ほら、ランドリー部門が受けつけた着ぐるみにE171はない。それと、気になることがあるんだけどね」

笹塚の操作で、ふたたび画面はデリバリーセンターの運送表に戻った。画面をスクロールさせると、無数の青のアイコンが集合している一帯があった。

「この青アイコンはコンテナ、つまり箱詰めの荷物を意味してるんだけど、午後八時三十二分のディズニーシー方面へのトラックに、E171ってのが搭載《とうさい》されてる」

由美子がいった。「でもそれは、袋じゃなくてコンテナでしょ。着ぐるみじゃないわよ」

「そうとも言いきれない」笹塚はマウスを操作し、表の上部に検索窓を表示させた。E171と入力し、種別にはコンテナの欄にチェックをいれる。検索開始をクリックして数秒、結果は表示された。出荷済み。午後八時三十二分、ディズニーシー方面。

「へんね」由美子が眉間《みけん》に皺《しわ》を寄せた。「入荷してもいないのに出荷した?」

「それに、該当する時刻のトラックの積荷は、E170とE172のコンテナは指示されているけど、E171のコンテナってのは積む指示はでていない」

後藤は息を呑《の》んだ。「じゃあ……」

笹塚は大きくうなずいた。「可能性はふたつある。デリバリーセンターがE171をトラックに積むと誤解し、該当する番号のコンテナがなかったから、袋のほうだと思って出荷した。あるいは、このコンピュータのアイコン表示が青だったせいで、青い袋と勘違いしてトラックに積んでしまったか」

由美子が頭をかきむしった。「でも、そんなことってある? あの袋の中身が着ぐるみだってことぐらい、キャストなら誰でも知ってるのよ」

尾野が立ちあがり、真顔でいった。「ありうるよ。デリバリーセンターは外注の業者だ。指示どおりに運ぶことしか頭にない。荷物の中身についちゃまるで知らなくてもふしぎじゃないぜ」

後藤は咳《せ》きこんだ。「ってことは、ショー用ミッキーの着ぐるみはディズニーシーに運ばれてるってこと？　どうして向こうではそれに気づかないんだ？」

「たしかに変だ」尾野は笹塚に歩み寄った。「笹塚、コンテナのEはどんな荷物なんだ？」

笹塚はマウスでアイコンをクリックした。一覧の表示に目を走らせていった。「油性塗料。パーク内のメンテで塗装に使われるストックですね」

「なら話が通ってる」と尾野は後藤を見た。「メンテ用の消耗品はそれほど細かく個数を管理してないだろうし、バックステージからバックステージへと送られるのが常だ。中身も専門の業者しかチェックしないだろうから、どこかの倉庫に眠ってることもありうる」

「そうです」と笹塚がいった。「ランドとシーはバックステージでつながってますが、そこのゲートは車両通行専用で、赤外線タグを感知するセンサーはありません。向こうにいってたことは、誰も気づかない」

尾野は笹塚の肩を叩《たた》いた。「さすが正社員、お手柄」

だが、後藤はまだ喜ぶ気にはなれなかった。「シーのどこの倉庫に入ったかはわからないの？」

笹塚は首を振った。「シーのほうのデリバリーセンターに入って、そこから各部署に配送されてる。僕はいまのところランドで働いてるから、シーのデータは見れない」

「しかしなぁ」尾野は腕組みした。「どうして本社の連中はこのデータを確認しなかった？」

「通常は確認しませんよ」と笹塚はため息まじりにつぶやいた。「ランドリー部門のチェックで紛失が確認されれば、次は美装部が疑われます。右から左に配達するだけのデリバリーセンターは盲点なんです。社員には、その存在さえ知らない人がいるくらいです」

由美子が後藤を見つめた。「すぐ本社調査部に知らせるべきよ」

そのとおりだ。だが、どうやって知らせればよいのだろう。後藤はまごついた。

笹塚がすかさず受話器をとった。「クラブ33に連絡したほうが早い」

内線のボタンを押して、３３とダイヤルする。それで直通でかかるらしい。準社員で新入りの後藤には知るよしもなかった。

静寂に包まれたオフィスに呼び出し音がかすかに響く。先方が応答する声もきこえた。笹塚が受話器にいった。「美装部の笹塚です、お疲れさまです。あのう、調査部のかたに至急、連絡したいことがあるんですが。……ええ、そうです。沼丘さんに」

しばし沈黙があった。目を輝かせていた笹塚の表情がしだいに曇りだす。笹塚は受話器の向こうにいる人間の質問に応じた。「はい、笹塚です、美装部の……。いえ。……社員です。正社員」

後藤は由美子を見た。由美子も後藤を見かえした。由美子の顔には呆《あき》れたような表情がある。おそらく自分もこういう顔をしているのだろうと後藤は思った。

「いえ、その」笹塚はうわずった声でいった。「できればいますぐ、お耳に入れたいんですけど。……いや、後ではなくて。……そうですか、わかりました」

笹塚が暗い顔で受話器を置いた。

由美子がきいた。「どうしたの？」

「折り返しかけるってさ。いま忙しいって。たぶん藤木さんに事情を聴いてるんだろ」

後藤はじっとしていられない気分になった。恵里の苦痛の横顔が浮かんだ。彼女はいまもなお、あの調査部の執拗な質疑にさらされているのだろう。彼女はやはり無実だった。それなのに犯人扱いをまぬがれずにいる。このままにはしておけない。

思わず身を翻《ひるがえ》し、後藤は駆けだそうとした。

「どこへいく」尾野が呼びとめた。

そうだ、どこへいくつもりだろう。一瞬、混乱した自分を悟る。だが、すぐにどうすべきかを思いついた。「シーに行きます。向こうのキャストに頼んで、着ぐるみのありかを教えてもらいます」

尾野は顔をしかめた。「そんな勝手なことを……」

ところがそのとき、由美子が壁ぎわに駆け寄ってレインコートを二着、すばやく手にとった。「わたしもいきます」

「おいおい」尾野は声を張りあげた。「行くったって、シーのバックステージへは規定のトラックしか通れないんだぞ」

「いったん外にでて、表から入るだけです。キャスト用のパスなら持ってますから」

由美子は後藤にレインコートをひとつ押しつけた。「さ、急ごう」

由美子の真剣なまなざしを、後藤はじっと見つめた。彼女は事態の深刻さを理解している。恵里のために、一刻も早く着ぐるみを見つけねばならないと信じている。その目に迷いはなかった。

自分にも戸惑いはない、後藤は思った。いますべきことはひとつしかない。

後藤は由美子につづいてオフィスをでようとした。その背に尾野がまた声をかけた。

「後藤」

立ちどまり、振りかえった。制止の声に耳を傾けるつもりはないが、先輩の呼びかけを無視する意志もなかった。

が、尾野は妙に緩慢な動作で自分のデスクに向かうと、ラミネート加工されたカードを取りだし、後藤に投げて寄越した。「これ持ってけ。おまえはまだパス持ってなかったろ」

後藤は受けとったカードを見た。USING CAST ONLYと記されている。キャスト専用の通行証だった。

「ありがとうございます」と後藤はいった。

尾野は視線を逸《そ》らし、ぶっきらぼうに告げた。「早く行け」

たった二日でも、先輩を知るには充分な時間があった。その愛想のない言葉づかいが、なによりも勝る声援であることを後藤は知っていた。

「行こう」後藤は由美子にいって、オフィスを駆けだした。

なぜ自分はいま走っているのだろう。ディズニーランドのためか、あるいは藤木恵里のためか。どちらともつかなかった。ひとつたしかなことがある。いまこの瞬間を生きるためだけにも、ここを選んでよかった。ディズニーランドのキャストになってよかった。そう思った。

本社

オリエンタルワールド本社棟では臨時の役員会議が召集されていた。退社時刻を過ぎても大勢の役員らが居残りを余儀なくされたのは、ことが日本のディズニーリゾート内にとどまらず、アメリカのディズニー本社との関係にまで波及しつつあったからだった。

ロサンゼルスの現地時間では午前零時の真夜中にあたる現在《いま》、米ディズニー・プロダクツ・インダストリアルズが、突然オリエンタルワールド宛《あて》にEメールを寄越してきた。慇懃丁寧《いんぎんていねい》な文面ではあったが、その内容は、ミッキーマウスの着ぐるみを紛失したという噂《うわさ》が事実か否《いな》か。それを問いただすものだった。

ショー用ミッキーをなくしたことがなぜアメリカ側の耳に入ったのか、情報をリークした人間が誰であるかはさだかではなかった。が、オリエンタルワールドには米ディズニー本社から出向している社員たちが百人以上も在籍している。噂が伝達されるのは時間の問題だった。ただ日本側の役員らは、少なくとも現地ロサンゼルスの夜が明け、本社の経営が動きだす十時間後までは反応はあるまいと考えていた。まさか深夜に、取り急ぎ事実を確認したいという意向をしめすとは予想だにしていなかった。

それは、日米間の重大な認識の差だった。ミッキーがアメリカの象徴だという知識は得ていても、アメリカ人たちが肌身に感じているほどには理解しえていない、そう思うよりほかになかった。

役員たちは、この事件がたんに着ぐるみの問題だけでなく、ミッキーマウスという世界で最も有名なキャラクターの失踪《しっそう》あるいは誘拐に近いニュアンスを含んでいることに頭を悩ませた。

アメリカは戦後、かつては五十年に限られていたはずの著作権の有効期限をずるずると引き延ばしているが、それはつまりミッキーマウスの権利を喪失させないための対処でもある。ミッキーマウスはアメリカの自由と豊かさの象徴であり、いまをもって最大のスターであると同時に、外貨の稼ぎ頭でもあった。くまのプーさんが高い人気を誇る東京ディズニーランドとは違い、本国ではミッキーマウスこそがディズニーの筆頭であり、ウォルト・ディズニーの残した精神そのものとみなされていた。

米ディズニー本社からのメールを受信してから一時間と経《た》たないうちに、状況はより深刻なものとなった。外務省の大臣官房、広報文化交流部からオリエンタルワールドに電話があり、これまたミッキーの紛失事件について事実関係を問い合わせるものだった。オリエンタルワールドに送付されたものと同じメールが政府筋にも送られたとみるのが妥当だった。

なぜ政府がそこまで迅速《じんそく》な対応を迫られているかも、理由はおおよそ察しがついた。

ブッシュが再選を果たし、今後もしばらく大統領としての権限を行使しつづける現在のアメリカで、彼の弟が知事を務めるフロリダは事実上、州あげての現大統領の後見と呼べる立場にある。フロリダは巨大なディズニーワールドを有していて、ここから揚がる税金は莫大《ばくだい》だった。すなわち米ディズニー本社はブッシュ政権と密接な結びつきを持っていて、そのブッシュと盟友関係にある日本の小泉政権は、彼らの頼みを即受けいれるスタンスを公示している。彼らが圧力をかけてくれば、われわれは従わざるをえない。あからさまな主従の関係が、国家レベルで介在している。それがミッキーマウスを取り巻く現実というものだった。

役員会議では、仮にミッキーの紛失を認めた場合、米ディズニーがどのような損害を被《こうむ》ったと主張し、どれだけの賠償を請求してくるかの予想が話し合われた。東京ディズニーリゾート構想に関する日米間の契約内容は、文書にして電話帳ほどもの厚みがあった。法務部の人間にそれらを隈《くま》なくチェックさせ、予想しうる最大の賠償額を算出させることになった。

東京ディズニーリゾートで使用される着ぐるみのデザインは、部分的に日本人好みにアレンジがなされているものもあるが、製造自体はアメリカでおこなわれる。ショー用ミッキーの着ぐるみの製造費は二百万円強で、キャラクターグリーティング用のものに比べほぼ倍額になっている。が、その着ぐるみ自体の値段がすべてでないことはあきらかだった。付随するあらゆる権利は莫大な金額になるだろう。役員たちは戦々恐々としながら法務部からの報告を待った。

結果は、予測をはるかにうわまわる過酷なものだった。法務部によると、オリエンタルワールドの管理不行き届きによりディズニーに莫大な損失を与えた例として、着ぐるみの外部への流出が契約文書に明記されているという。ミッキーマウスの着ぐるみが、ディズニーリゾート外で公《おおやけ》の目に晒《さら》された場合、ましてオークションにかけられたりした場合には、オリエンタルワールドとのあらゆる契約を一年以内に打ち切ると記載してあった。

法務部の見解では、これが実現すれば東京ディズニーリゾートの運営そのものが不可能になるが、ランドとシーや周辺の関連ホテルのすべてを閉鎖するというのは現実的ではなく、結局のところオリエンタルワールドが責任を取らされるかたちで経営から撤退を余儀なくされ、さらにその場合は別の契約項目にしたがって、東京ディズニーリゾート全体が米ディズニーの所有物となる可能性が高いとのことだった。

ただならぬ緊張が役員会議室を支配した。アメリカが躍起になって事実を問いただしてきたのはそのせいだったのだ。

いまから二十年前、米ディズニー本社は東京ディズニーランドの建設には乗り気ではなかった。みずから経営する権利を放棄し、版権だけを貸し与えるかたちでオリエンタルワールドに舵《かじ》取りをまかせた。その後の東京ディズニーランドの爆発的成功を目にした米ディズニーの経営陣は、契約の失策を悟り、何度となくオリエンタルワールドに対し経営の譲渡を求めてきたが、日本側はこれを断りつづけていた。

米ディズニー本社は東京を模倣し、フランスにユーロ・ディズニーランドを建設、みずから経営に乗りだしたが、もともとアメリカナイズされたヨーロッパ文化が主体のディズニーのファンタジーはフランス人に受けいれられず、チケットの売り上げは芳《かんば》しくなかった。再起をかけてディズニーランド・パリと名前を変えてみたものの、評判はあいかわらずで、本社の屋台骨をぐらつかせるまでの赤字を計上するに至った。

米ディズニーの最高顧問が以前にもまして東京ディズニーリゾートの所有権を欲し

ているこ とは、想像に難くない。

たった一体の着ぐるみの紛失が、日本人の手によるディズニーランドの終焉《しゅうえん》につながる。まさに東京ディズニーランド史上、最大の危機に相違なかった。かといって、役員たちにできることは限られている。いまはただ、クラブ33にいる調査部からの報告を待つことだけが、彼らの仕事のすべてだった。

調査部によれば、美装部に務める十九歳の女性準社員が、ダンサーになれなかったことを根に持ってミッキーマウスを隠匿《いんとく》した可能性が高いという。この女性はきょう、ビッグサンダーマウンテンの線路内に立ち入って、運行を妨害したらしい。おそらく、精神面になんらかの障害がみとめられるのだろう。

準社員という制度は困ったものだ、役員のひとりがそうこぼした。ほかの役員も、一様にうなずいた。遊び気分で申しこんできては、実際の職場ではマニュアルどおりにこなすことさえできず、ゲストのクレームを買う。彼らはディズニーランドを支えているのは自分たちだと考えているかもしれないが、実際には違う。周到に練りあげられた管理システムによって、彼らは会社の雑務の末端部分をこなすよう活用されているだけ、それが役員たちの準社員に対する認識だった。実のところ、じっくり育てあげた高学歴出身のエリートだけでキャストを固めたいというのが本音だが、一万人も必要なキャストのすべてを優秀な人材で構成するのは不可能だった。いまも問題を引き起こしたのは年端《としは》もいかぬ準社員のようだった。着ぐるみを隠匿した目的が転売にせよ、会社への嫌がらせにせよ、実にけしからぬことだ。役員たちはそう息巻いた。

追及すればおそらく着ぐるみの発見に至るでしょう、調査部はそう告げていた。それなら、われわれは座して待つよりほかにない。役員たちは口々にそうこぼした。責任は調査部にある。彼らが着ぐるみを発見できると主張したから、われわれはほかに手を打たなかった。ミッキーが見つからなかったら、それはすべて彼らのせいだ。ひとりがそう発言したとたん、役員の誰もが賛同した。役員会議室の雰囲気はやや和んだ。責任の転嫁先《てんかさき》はみつかった。あとは、彼らにまかせていればいい。

シー

後藤が由美子《ゆみこ》とともにディズニーシーのエントランスに駆けつけたとき、雨は激しさを増していた。すでに辺りは薄暗かった。晴れていれば空はオレンジいろに染まっていただろう。いまは、黒々とした厚い雲が頭上を覆《おお》いつくしている。ときおり、稲光も走る。季節はずれの豪雨。気温は低下し、レインコートをまとっていても、雨水の冷たさが肌身につたわってくるようだった。

一般のゲストのための入場は、すでに打ち切られ、チケットブースも閉鎖されていた。パーク内にいたゲストらが出口から掃きだされてくる。色とりどりの傘が開いていた。その傘の下には浮かない顔があった。人々のその表情は、バックステージで見たキャストたちの素顔とは対照的だった。大雨が齎《もたら》すものは、ゲストとキャストとで確実に異なっている。

ゲート前では泣いている男の子がいた。中に入りたいよ。子供は泣きじゃくりながら大声でそう告げていた。連れている母親も困り果てているようすだった。

後藤はその子供に近づいていった。笑顔をつとめながら声をかける。「こんにちは。だいじょうぶ？　シーに入りたかった？　ごめんね」

母親は恐縮したような顔を後藤に向けると、男の子に告げた。「ほら。お兄さんたちも謝ってるじゃない。きょうは仕方がないの。ミッキーさんもいないから」

「やだよ」男の子はぐずった。「中に入りたい。ミッキーいるかどうか、入らないとわからないじゃん」

「僕」後藤はしゃがんで、男の子に話しかけた。「ミッキーも雨の日は、トゥーンタウンの家に帰ってるんだよ」

「トゥーンタウン?」男の子は後藤を見かえした。「ディズニーランドのトゥーンタウンにいるの?」

後藤は頭をかいた。どう答えるべきだろう。ランドのほうはまだ閉鎖のアナウンスはでていないが、母親はあきらかに帰りたがっている。Eパレも花火も中止だというのに、いまから豪雨のなかをランドに向かったところで、さしたる喜びもない。従業員《キャスト》としては、できるかぎり客《ゲスト》をインパークさせたい。しかし、営利がすべてに優先するわけではない。そう後藤は思った。

そのとき、母親が男の子にいった。「ミッキーさんは舞浜駅にいるのよ。お母さん、さっき聞いたから」

男の子は目を丸くした。「ほんと?」

母親は後藤に目くばせした。後藤の戸惑いは、さらに深まった。

この母親が子供に嘘《うそ》をついているのはあきらかだった。ミッキーが駅にいる、そういって子供を帰路につかせようとしているのだろう。だが後藤は、彼女を嘘つきにしたくはなかった。子供はやがて、悲しむことになるだろう。母に怒りをぶつけるだろう。そんな状況を見過ごすわけにはいかなかった。

「お母さん」後藤はいった。「たしかにさっき、ミッキーはお帰りになるゲストを見送るために駅に立ち寄りましたけど、いまは雨も強くなったんで、家に戻ってます。ふだんはミート・ミッキーでゲストを家に迎えいれてるけど、この雨じゃゲストに迷惑がかかるっていうんで、ミッキーはミニーと一緒に休んでます」

はあ。母親はぽかんとした顔で後藤をみた。

後藤は男の子に向き直った。「ねえ、お兄さんのお願い、きいてくれるかな。ミッキーはきみと一緒に、晴れ渡った空の下で一緒に遊びたがってる。こんな日じゃ、楽しく遊べないって落ちこんでるよ。きみが風邪をひいたりしたら、ミッキーもきっと悲しむ。だから、晴れた日にもういちど会おうよ。ミッキーもきっと待っててくれてる」

男の子はしばし後藤を見つめてから、つぶやくようにきいてきた。「ほんとに？」

「ほんと。お兄さんが約束するよ」

しばらくのあいだ、男の子はまだためらうような素振りを見せていたが、やがて吹っきれたように微笑を浮かべると、じゃあまた来る、そういって駅方面へと駆けだした。

母親はあわててわが子を追いながら、後藤をちらと振りかえり、頭をさげた。

その場にたたずんで母子が立ち去るのを見送っていると、由美子が後藤に近づいてきた。

「たいした成長ね。感心しちゃった」

「なにが?」

「あなたのことよ。お母さんとあの子を不仲にしないように、うまく取り持ったじゃない。きのう、シンデレラ城の出口で男の子の頭をわしづかみにしてた人とは思えないわ」

後藤は由美子の指摘に面食らった。たしかに、自分のなかの変化には驚きを覚える。だが、同時にそれが当然のことのようにも感じられる。ここで働いていれば、誰でも使命を抱くはずだ。

夢の王国の住人としての使命を。

「さあ」後藤は雨に濡《ぬ》れた顔をぬぐっていった。「ぐずぐずしちゃいられない。いこうか」

「ええ」由美子はにっこりとうなずいた。

シーとの交渉は、入り口からつまずいた。セキュリティゲートでキャスト専用のパスを提示しても、どの部署の誰と会うかの約束を取り付けていないのなら通せないといわれてしまった。

後藤はシーのデリバリーセンターの人間とコンタクトをとりたいと申しでたが、なかなか取り次いではもらえなかった。由美子が、デリバリーセンター側に落ち度がある可能性が高いと脅しめいた文句を吐いたことで、ようやく園内に立ち入ることを許された。ただし、シーのバックステージを通っていくのではなく、オンステージをロストリバー・デルタの遺跡まで進んでいき、その左手の洞窟《どうくつ》の奥にあるバックステージへの入り口からデリバリーセンターに向かうように指示された。同じディズニーリゾートのキャストといえど、ランドの人間には必要以上にシーのバックステージに滞在させたくないという態度が見え隠れしていた。警備員がなぜそんな態度をとったのかはさだかではないが、おそらくは規則なのだろう。後藤はそう思った。なにもかも規則ずくめ、ここはまさにランドとシーのあいだに横たわる国境だった。

シーのなかはまだ大勢のゲストで混みあっていた。豪雨のせいで人々は屋根のある場所へと避難し、そのため局所的な混雑が発生している。レインコートを着たキャストたちが、ゲストを出口に誘導しようと必死で声を張りあげていた。こんなときであっても、笑顔を絶やさず、声を荒げることもなく、ずぶ濡れになりながらも雨と風に耐え、ゲストの安全に留意しながら職務を遂行しつづけている。そんなキャストが、そこかしこにいた。後藤の目には、彼らの存在はかつてよりずっと輝いて見えた。

メディテレーニアンハーバーに出ると、キャストたちの働きはさらに際立《きわだ》っていた。階段が多く、通路も狭いシーでは、ゲストが転倒しやすいと聞いたことがある。シーのキャストたちは大声で階段の位置をつたえ、足場に注意してゆっくり歩くように指示している。ミステリアスアイランドの火山付近では、それぞれのアトラクションの入り口にキャストが立ち、きょうのアトラクションが中止になったこと、閉園時刻まででもう再開の見込みがないことを告げていた。抗議し、詰め寄るゲストもいる。だが、キャストは笑顔を失わなかった。傘をさすゲストに対し、レインコートをまとったキャストの顔は激しい雨にさらされていた。それでも、キャストは笑いつづけていた。雨音に掻《か》き消されないよう、大声で謝罪の言葉を告げる。申しわけありません。ゲストの怒りがおさまるまで、キャストは何度も頭をさげつづけた。

敷地の半分が湖面になっているシーでは、豪雨は大敵のようだった。ボートを係留しているキャストもいる。彼らはこの寒さのなか膝《ひざ》まで水に浸《つ》かり、おそらく視界を確保するためだろう、レインコートのフードを取り払っている。そのせいで彼らの髪はびしょ濡れだった。しかし、誰も音《ね》をあげない。むろん悪態をつく者もいない。ただ黙々と、夢の世界を守るために全力を尽くしている。誰の顔にも迷いはない。

ランドのほうでも、いまこの瞬間にも、これと同じ光景がひろがっているのだろう。

後藤は思った。ふたつの夢の王国はキャストたちによって支えられている。ビッグサンダーマウンテンで恵里にそのことを告げたときには、自分の吐いたセリフながら綺《き》麗《れい》ごとすぎるように思えたものだ。いまは違う。すべての夢をつくりだしているのはキャストだ。キャストがこの世界を現実のなかに維持しつづけているのだ。

ロストリバー・デルタはシーの最も奥地に位置している。洞窟の奥の、例によって鎖と立て札で遮られたバックステージの入り口を越えると、すぐにデリバリーセンターに行き当たった。その名の通り、運送業者の倉庫のような場所だった。外には何台ものトラックが停車していて、巨大な倉庫の内外にコンテナが積みあげられ、フォークリフトがそれらコンテナを運び走りまわっている。

受付の小屋にいた警備員にまず話を通し、管理室に電話をつないでもらって、やっとのことで配送管理の担当者を呼びだしてもらった。長岡《ながおか》という、やや小太りの中年男だった。

長岡は当初、二十歳そこそこの男女にあれこれ指図されることを疎《うと》ましく思っていたようだったが、ことの重大さがあきらかになるにつれて協力的な姿勢をしめしてきた。それでも、膨大な数の配送のデータから〝E171〟の行き先を絞りこむのに手間どり、三十分後にやっと、該当する荷物をミステリアスアイランドのバックステージ地階にある収納庫に運んだとわかった。

笹塚《ささづか》が指摘したとおり、コンテナのEはすべて油性塗料の缶が収納されたもので、パーク内に臭《にお》いが充満しないよう、ゲストが往来するよりはるかに下の海抜〇《ゼロ》メートルの屋外倉庫に集められていた。

後藤はそこに向かう決心を固め、屋外倉庫の名前を長岡にたずねた。だが長岡は、倉庫に名前などないと答えた。後藤にとっては意外に思えることだった。ランドではバックステージのあらゆるものにしゃれた横文字の名前がついている。それがシーにはないという。おそらく日本人の手によって作られたテーマパークだからだろう。やはりランドとシーでは外国のように慣わしが異なっている。

名前がわからない倉庫を、キャストに尋ねてまわりながら探すのは骨が折れる。後藤と由美子は長岡に案内を頼んだ。長岡は了承してくれた。ミステリアスアイランドに急ぎ、〝海底二万マイル〟のバックステージに入って非常階段を降り、その倉庫へと向かっていった。

ところが、階段を降りきるより早く、長岡が驚きの声をあげた。「なんてことだ。

浸水してる！」

そこは、ミステリアスアイランドとマーメイドラグーンのあいだに位置する空間だった。周囲は岩肌にみせかけた火山の麓《ふもと》に位置しているが、切り立った崖《がけ》に囲まれた谷間の底でもあり、ゲストからはみえない。二百坪ほどもある空間のあちこちにコンテナが積みあげてあるが、地面は水の下に隠れていた。濁った水面が階段の途中にまで昇ってきている。コンテナも、最下段の箱は完全に水中に没しているようだった。

長岡は水面ぎりぎりにまで降り、さらに階段を下ったが、かなりの深さがあるらしく、たちまち首まで浸かった。あわてたようすで階段を昇りながら長岡が怒鳴った。

「排水がうまくいってないんだ。短時間に予想を超える豪雨が襲ったせいだ」

そのとき、由美子が前方を指差していった。「後藤君。見て、あれ！」

由美子が指し示した方角に目を向けたとき、後藤は息を呑《の》んだ。

その浸水した屋外倉庫の奥、雛段《ひなだん》状に積み上げられた十数個のコンテナの列のなか、水面から上部だけをのぞかせたコンテナの上に、青い袋が横たわっていた。

「なんてことだ」後藤は思わず声をあげた。「長岡さん。あれが着ぐるみだってことぐらい、わからなかったんですか。どう考えたって塗料じゃないでしょう。なぜ中身をたしかめなかったんです」

「私に聞かれても困るよ」泥水に全身ずぶ濡れになった長岡が怒鳴りかえした。「各部署への配送はバイトも含め大勢の従業員がやっていることだし、中身についてなんか、知るよしもない。誰もが指示にしたがって右から左へと運んでいるだけだ」

「後藤君」由美子《ゆみこ》の声は悲鳴に近かった。「このままだとすぐ水に浸かっちゃう」

雨はさらに激しさを増していた。いまはかろうじてその雨にさらされているだけの青い袋は、あと十数センチ水面が上昇したとき、泥水に浸水する。あの袋は防水ではない。水中に没したら、外観的にはボディファーの毛並みの質感が失われ、みすぼらしい見てくれになる。内部構造は、鼻や瞼《まぶた》を動かすための精密部品が全滅するにちがいない。いずれにしても、なかの着ぐるみはまるで使い物にならなくなるだろう。

後藤たちが立ちつくす階段から、青い袋まで距離にして二、三十メートルほどもある。島のように水面から突き出したコンテナの群れに泳ぎつくことはできるだろうが、あの重くて大きな着ぐるみの入った袋を持ちあげたまま、戻ってくることは難しい。

「なんとかして、いまのうちにあの袋を運びださないと」後藤はいった。

長岡が階段を昇りかけた。「非常用のゴムボートなら、シーにはそこいらじゅうにある。このエリアにもあったはずだ。とってくる」

「お願いします」後藤はそういってから、由美子に向き直った。「本社の人間に、ミッキーを発見したと伝えないと」

由美子はレインコートの下をまさぐり、携帯電話を取りだした。ダイヤルをして、電話を耳に当てる。「運営部運営課の桜木です、お疲れさまです。ええと、ワールドバザールの内線３３につないでください。大至急」

クラブ33に電話か。後藤は気乗りしなかった。一方的に藤木恵里を疑ったうえ、笹塚からの重要な情報も聞く耳を持たない態度をしめした調査部の連中に、いまさらミッキーマウス発見のニュースを伝えたくもなかった。

だが、後藤を見た由美子の目が訴えかけていた。感情は抑えて。いまはなにより着ぐるみを救いだすことが大事。由美子の目はそう告げていた。

「もしもし」由美子は電話にいった。「調査部のかたに緊急の伝達事項があります」

クラブ33の混乱

久川は、クラブ33の壁ぎわの受話器をとった社員の表情の変化に、いちはやく気づいていた。男は目を丸くして驚き、それからおろおろと辺りを見まわしている。彼に注視している者は、久川のほかにはいないようだった。沼丘はまだ恵里を問い詰めようと躍起になっているし、恵里のほうはうつむくばかりだった。法務部の柿崎《かきざき》は携えてきた六法全書のページを繰るのに忙しく、あとの連中は、ミッキーマウスが発見できなかった場合の自分たちの責任の所在について、議論に忙しかった。ただひとり、門倉だけは久川と並んで壁に寄りかかり、社員たちの不毛な仕事を黙って眺めつづけている。そんな門倉もまだ、受話器を手にした男のようすには気づいていないようだった。

その男は周囲に声をかけるでもなく、ただ受話器片手にうろたえた表情で押し黙っている。そして、周りの人間はそんな彼のようすになおも気づかない。

たまりかねて、久川はその受話器の男に大声で問いかけた。「なにかあったんですか。どこからの電話ですか」

室内がしんと静まりかえった。沼丘、柿崎、門倉、すべての社員たちの目がいっせいに久川に降りそそぎ、それから久川の目を追って、受話器を手にした男に向けられた。

「あの」男は震える声で告げた。「着ぐるみが発見された、と」

静寂はなおもつづいた。クラブ33は、静止した一枚の写真のようだった。誰も身じろぎひとつしない。ただ呆然《ぼうぜん》として、その受話器の男を眺めるばかりだった。

「シーのデリバリーセンター、準社員の桜木だそうです。シーの倉庫のひとつに、誤って配送されていたそうで」

ざわつくクラブ33のなかで、沼丘は立ちつくしていた。

沼丘は片手をあげて周囲の会話を制すると、受話器を持った男にきいた。「シーの準社員からの連絡か?」

男が受話器にたずねる。きみはシーの準社員か。しばし沈黙したあと、男は沼丘を見つめていった。「いえ、桜木というのはランドの運営部運営課だそうです。それに美装部の後藤も一緒です。ふたりはいまシーの倉庫にいて、着ぐるみの袋が存在するのを目で確認したそうです」

唖然《あぜん》とした沼丘の目が、恵里に向く。恵里は身を固くしたまま、テーブルに目を落として沈黙していた。

柿崎が沼丘に告げた。「彼女は関係なかったってことか」

「いや」沼丘はあわてたように、うわずった声を室内に響かせた。「タグをつけかえたりして、故意に配送を誤らせた可能性もある。彼女は着ぐるみの担当だったんだ、そういう工作ぐらい……」

「沼丘さん」受話器を持った男が弱々しい声でつぶやいた。「シーのデリバリーセンターの人間が、配送ミスを認めているそうです。システムが煩雑《はんざつ》すぎて、こういうことは今までもたびたび起きていたそうで」

ふたたび沈黙があった。

沼丘の顔は一瞬のうちに紅潮し、それからみるみるうちに青くなった。身体《からだ》を小刻みに震わせながら、周囲に目を向ける。救いを求めるような視線だった。

が、社員たちは状況を察したらしく、同盟を拒むように目を逸《そ》らした。

そんな同僚たちの態度に業《ごう》を煮やしたようすで、沼丘は表情を険しくしてテーブルの携帯電話をすくいあげると、ダイヤルをはじめた。

柿崎がきいた。「どうするんです」

「役員の意見をきく」沼丘は電話を耳にあてた。「調査部の沼丘です。そのう、たったいま、紛失していたショー用ミッキーの存在が確認されました。どういう事情かわかりませんが、シーの倉庫に紛れこんでいたようです。……ええ、そうです。その可能性もありますね。美装部員がしっかり配送先を確認しなかったのかもしれません」

恵里がはっとした顔で沼丘を見た。沼丘はばつが悪そうに、恵里に背を向けて遠ざかった。

久川は唇を嚙《か》んだ。この期《ご》に及んで、まだ準社員のせいにしようというのか。沼丘の真意は読めていた。実際にミスをしでかしたのがデリバリーセンターであれ何であれ、沼丘は自分の推測が間違っていたことを認めたくないのだ。とりわけ本社の役員連中に、見当違いで準社員を問い詰めていたことを知られるのを恐れている。彼の態度は責任転嫁《てんか》以外のなにものでもなかった。

「ええ」沼丘はひときわ甲高い声で電話にいった。「それはもう、責任を持っておこないます。回収したら連絡します。それでは」

電話を切ったあと、沼丘は調査部の面々を見渡した。「シーのほうには、誰を差し向けたらいい?」

そのとき、壁ぎわの受話器の男が沼丘にいった。「あのう、現地の桜木からの連絡によると、倉庫が浸水してて着ぐるみが水没寸前だとか」

沼丘は戸惑いがちにいった。「われわれ調査部の人間が出向いていったほうがよさそうか」

「まってください」柿崎が異議を唱えた。「規則に準ずれば、まず本社棟に戻ってシーのバックステージへの立ち入り許可を書面申請しなければなりません。正社員といえど、この手続きを省くと、後々に問題になります」

「そんなことを言ってる場合か。シーに連絡をとって、正社員がいたら電話口にだせ。

準社員じゃなく正社員に回収させるんだぞ」

ミッキーを紛失したのは準社員、発見したのは正社員。あくまでその構図づくりにこだわろうとしている。なんと卑劣な男だろうと久川は思った。よほど自分のキャリアに傷がつくのを恐れているらしい。こんな男が身を置いている調査部という部署は、いったいなにを調査することを生業《なりわい》にしているのか。彼らがみいだすのは真実ではなかったのか。

そのとき、門倉が口を開いた。「倉庫にいる準社員たちに回収させればいいじゃないですか」

室内はまたも静寂に包まれた。社員たちの目が門倉を見つめる。

「いいや」沼丘は頑固に言い放ち、首を横に振った。「あいつらはランドの準社員だ。規則を破って勝手にシーに立ち入ったにきまってる。手をださせるわけにはいかん」

門倉の目が久川に向いた。久川も門倉を見た。門倉の顔には、沼丘に対する苛立《いらだ》ちが明確に表れていた。

同感だよ。久川は心のなかでつぶやいた。

ミッキーの救出

豪雨はまさに滝のようだった。後藤は打ちつける雨の音にたまりかねて、レインコートのフードを取りはらった。たちまち髪がずぶ濡《ぬ》れになったが、傷だらけのレコードのようなノイズが耳もとに響きつづけるよりはましだった。

由美子はじっと携帯電話を耳に当てている。彼女の顔も頭上からバケツの水をぶちまけられたようにびしょ濡れになっていて、メイクはほとんど落ちてしまっている。

しばらくのあいだ由美子は耳をすましていたが、その表情は曇るばかりだった。やがて、困惑した顔を後藤に向けていった。「だめね」

「だめって、なにが？」後藤はきいた。

「社員のひとたちが話し合ってる声がきこえるけど、規則がどうとか、そんなことばかりいってる。ちっとも現状が把握できてない」

まだそんな状況だとは。後藤は苛立ちながら由美子にいった。「貸して」

受けとった電話を耳に当てて、後藤は告げた。「もしもし。まだどなたか、聞いてますか」

ざわつく声、怒鳴りあう声が電話を通して聞こえてくる。ふいに明瞭《めいりょう》な声が応じた。

「なんだね。さっきの運営部の女性は?」

「電話を代わりました。僕は美装部の後藤です。そのう、調査部の沼丘さんに代わってください」

相手はぞんざいにいった。「いま手が放せんよ」

「そこをなんとか。重要なことなんです」

相手の声が遠のき、沼丘さん、呼ぶ声がした。なんだ、と沼丘の応じる声もきこえてくる。美装部の後藤という者が、話したいことがあると。

しばしの沈黙のあと、沼丘のいらだたしげな声が電話に応じた。「きみか。なにか用か」

「なにかって」後藤は戸惑いがちにいった。「ショー用ミッキーの着ぐるみを発見したんですよ」

「ああ、それならきいた。いま対策を協議中だ」

「あとほんの数分で水没しちゃうんですよ。ぐずぐずしてる暇なんか、あるわけないでしょう」

「準社員が考えることではない」沼丘は語気を強めた。「こちらから回収する人員を派遣するから、きみらは自分の仕事に戻れ」

憤《いきどお》りがこみあげてくる。後藤は不満をぶちまけた。「藤木恵里さんを犯人扱いしておいて、なんの謝罪の言葉もないんですか。あなたの見当はずれな読みのせいで、彼女は傷ついたんですよ」

沼丘が息を呑《の》む気配があった。電話ごしには沈黙しか存在しなかったが、後藤は明確に相手のありさまを感じとった。

やがて沼丘の声が告げた。「彼女を犯人扱いした覚えなどない。あくまで調査をおこなっただけのことだ」

「まだそんなことをいうんですか。あなたたちが責任の擦《なす》りつけ合いばかりしてるから……」

「くどい！」沼丘が声を張りあげてきた。「こちらは規則どおりに動いている。きみらはなんだ。きょう一日でどれだけの規則に違反したと思ってるんだ。解雇されても当然だぞ。きみらの愚行の連続に、こっちがどれだけ辛抱を強いられていると思ってる」

辛抱を強いられているのはこちらのほうだ。喉《のど》もとまで出かかった不満を呑みこんで後藤はいった。「言い争ってる暇なんかないんですよ！　ミッキーはもうすぐ水に浸《つ》かるっていってるでしょう！ いまただちに引き揚げないと……」

「準社員が出すぎた真似《まね》をするな！ ミッキーマウスはわが社の重要な財産だ、許可もなく触るな。クビにするぞ！」

後藤の怒りは頂点に達した。気づいたときには、電話に向かってぶちまけていた。「ミッキーマウスはあんたらの物じゃないだろう！ みんなの物じゃなかったのか！ クビにしたきゃしろ、俺はいまからミッキーを救いにいくからな」

「よせ」沼丘の声はうわずっていた。「そんな許可はだせん」

「あんたらの許可なんかいらない」後藤は吐き捨てた。「あんたらのためにじゃなく、ディズニーランドのためにやることだ」

ふいに静かになった。

辺り一帯に、雨の音ばかりがこだまする。後藤は降りつける雨のなかでうつむき、ため息をついた。

言っちまった。きょうがディズニーランドのキャストとしての、最後の日か。きのうがデビューで、きょうが引退。短いキャスト人生だった。いや、きわめて長い二日間でもあった。

由美子《ゆみこ》が後藤をじっと見つめ、つぶやいた。「後藤君……」

後悔はない。仕方がなかった。そして、本望だった。自分は、やりたいようにやった。そして、自分なりに最善を尽くしてきた。思い残すことなどない。

ふいに、耳もとに低い男の声が飛びこんできた。「後藤君。きいてるか。久川だ」

後藤ははっとして顔をあげた。まだ携帯電話を耳にあてていることを思いだし、あわてて応じた。「はい、聞いてます」

「本社が承諾した」と久川の冷静な声がいった。「すぐにショー用ミッキーを水没から救え。僕もそっちへいく」

ふたりのミッキー

久川は受話器を置いた。

振りかえると、クラブ33の社員たちは唖然として凍りついていた。

とりわけ、いましがた受話器を久川に奪いとられた沼丘は、ただ呆然と立ちつくしていた。その右手は、まだ受話器を持っていたときのまま頬のあたりにある。

対話の必要などなさそうだ。久川は電話の前を離れ、戸口へと向かっていった。

「まて」沼丘の声が呼びかけた。

久川は立ちどまり、ゆっくりと振り向いた。

沼丘は血相を変えて詰め寄ってきた。近づくと、背の低い久川は沼丘の顔を見あげねばならなかった。沼丘は身長の差をそのまま態度に反映させてきた。「電話をひったくって、準社員に勝手に指示を与えて、いったいどういうつもりだ。本社の人間は誰も承諾してなどいないぞ」

しばし黙って沼丘の顔を見る。久川の目には、沼丘はもはやみずからの沽券《こけん》ばかりを気にする愚者にしかみえなかった。

「正しいと思うことをするまでです」久川はいった。「行くと約束したので、行きます。では」

柿崎《かきざき》があわてたようすで立ちふさがった。柿崎も久川を見下ろしながらいった。「まだ事実が確認されたわけじゃない。いま勇み足を踏むと、取り返しのつかないことになりますよ。調査部にまかせておけばいいんです」

「調査部に?」久川は侮蔑《ぶべつ》のこもった自分の声をきいた。

テーブルのほうを眺める。不安げな顔でこちらを見つめる恵里の姿があった。

久川は柿崎に目を戻した。「大学で習ったことですけどね。藤木恵里はなぜ自殺未遂をはかったと思いますか? 彼女はミッキーマウスの紛失に無関係だった。それなのにさも犯人のように扱われ、精神的に追い詰められた。すべて社内で起きたこと、つまり会社の責任です。アトラクションの運行を妨げたことを理由に、彼女を解雇することは権利の濫用《らんよう》にあたり、許されない。もちろん会社に対する損害賠償義務も生じない。違いますか？」

返事はきくまでもなかった。柿崎は口ごもり、床に視線を落とした。なにも答えられない、その態度が答えにほかならなかった。

久川は沼丘を一瞥《いちべつ》した。沼丘も柿崎同様に凍りついて押し黙っていた。

これ以上の議論は必要あるまい。いまとなっては彼らに、久川を制止する意志も感じられなかった。久川は扉へと突き進んだ。

その扉の脇《わき》で、壁にもたれかかっている門倉がいった。「いいのか、久川。本当に」

「なにがだ」久川は立ちどまって、門倉を見た。

この室内では唯一《ゆいいつ》、視線の高さが釣りあう男の横顔がそこにある。門倉はつぶやいた。

「俺用の着ぐるみが回収されたら、俺はショーに復帰だ。おまえはまたパレードに逆戻り」

久川は動じなかった。きっぱりと言い放った。「実力でショーの出演を勝ちとってみせるさ」

門倉は黙っていたが、すぐにふっと笑いを浮かべた。門倉は久川を見ていった。

「俺も一緒に行こう」

「いや。ここにいてくれ。藤木恵里ひとりを残していくわけにいかない。連中が彼女に妙なことを吹きこまないよう、見張っててくれ」

「わかった」門倉は久川をじっと見つめた。「久川。おまえは世界で二番目に優れたミッキーマウスだよ。俺に次いでな」

久川も思わず笑いをこぼした。「そうか。てっきり逆だと思ってた」

門倉が目を逸《そ》らしながら鼻で笑った。久川はそんな門倉の横顔をしばし見つめた。この男に、こんな側面があったとは。いままで気づかなかった。

「しっかりな」と門倉がいった。

「ああ」久川は扉を開け、雨の降りしきるオンステージへと踏みだしながらいった。

「おまえのミッキーは、俺にまかせておけ」

リアル・クルーズ

激しく雨が降りそそぐシーの屋外倉庫で、後藤は非常階段を降りてくる音を聞きつけ、頭上をみあげた。

「これしかなかった」と長岡がひきずってきたのは、全長二メートル弱の小ぶりなゴムボートだった。オールがふたつ備えつけてあるが、ふたり乗るのはとても無理に思えた。

由美子が不満を口にした。「行きはいいけど、帰りはどうするの？　着ぐるみを載せたら、人が乗ることはできなくなるわよ」

長岡が凍りついたように静止し、ゴムボートに目をやった。「そうだった」

後藤はしばし熟考したが、ほかに手立てはないように思えた。ゴムボートに手を伸ばしながらいった。「貸して。僕がいくよ。帰りは、ボートの外でバタ足すればいい」

「まさか」由美子が目を見張った。「こんな気温で寒中水泳する気なの」

「ああ」後藤はゴムボートを抱えた。「それしか方法がない」

雨で滑りやすくなっている階段を、水面ぎりぎりまで降りた。雨粒が濁った水面に無数の波紋をつくっている。後藤はそのなかにゴムボートを投げ落とした。

泥水が飛び散り、ゴムボートは着水した。階段の手すりにつかまりながら、そろそろと足をゴムボートにいれる。バランスを崩しそうになったが、かろうじて持ちこたえた。もう一方の足をボートにおさめると同時に尻《しり》をボートの底に落とし、座りこむ。

「しっかり」と由美子が声をかけてきた。

「頑張るよ」後藤はそういって、左右のオールを握り、漕《こ》ぎはじめた。

浸水した屋外倉庫は池というよりは湖だった。広大な敷地のいたるところに、積みあげられたコンテナが水面上にのぞいているほかは、ただひたすら泥水に満たされていた。排水がうまくいっていないと長岡はいっていた。都内も、少しばかり多く降っただけでたちまち水浸しになる場所がある。この倉庫も元々、構造的に雨に弱い設計かもしれなかった。

オールを必死で漕いでも、ほとんど前進しない。数秒のうちに後藤はその理由をさとった。向かい風だ。水面が波打っている。その波はこちらに向かっている。ボートを進めるには、かなりの速度で漕ぐ必要があった。

だが、と後藤は思った。帰りは楽なはずだ。ほとんど手放しでも、ゴムボートは階段のほうへと流れていくだろう。

全力で漕ぎつづけて、ほぼ半分ほどの道のりまで来た。振りかえると、階段で心配そうに見守る由美子と長岡の姿がある。手を休めたとたん、ボートが後退しはじめる。急いでオールを動かし、失った距離を取り戻す。

しだいにオールの漕ぎ方に要領を得てきた。水中では半円を描くように動かし、水上では直線に前方へと運ぶのだ。そうすることで、推力《すいりょく》が働かない時間を最小限にできる。

ディズニーランドにもカヌーがあったが、ゲストはほとんどオールを回しているだけで、実際に漕いでいるのは前後のキャストだった。彼らの苦労がしのばれる。自力で船を推進させるのが、これほど難しいこととは思わなかった。すでに腕が痛くなり、手が痺《しび》れてきている。息も荒くなってきた。それでも手を休めると、ボートは後ろ向きに流されてしまう。ひたすら前進するしかない。

目的地の島状に積みあげられたコンテナが近づいてきた。後藤は歯をくいしばり、背筋に走る激痛に耐えながらオールを漕ぎつづけた。少しずつ、コンテナの上に横たわる青い袋が視界のなかで大きくなっていく。焦燥感《しょうそうかん》がオールの動きを雑にし、前進が鈍る。ふたたびボートを漕ぐことに意識を集中させた。雑念を振り払い、ただ前に進むことだけに思考を働かせる。

ところが、別の難題が持ちあがった。ボートのなかに雨水がたまりだしている。それだけ雨足が強いのだろう。このままでは、船底に浸水しているのと同じ状況になってしまう。後藤は必死で漕いだ。水を掻《か》きだしている暇はない、岸にたどり着くのを急がねばならない。

やっとのことで、コンテナの島に到着した。箱は三列で、右端の列は三段も詰みあげられ、あとの二列は水面すれすれに箱の上部がのぞいているだけだった。その浅瀬のような場所に、青い袋がある。後藤は身体《からだ》を起こし、ボートから箱の上へと渡った。流されかけたボートをとっさにつかみ、箱の上にひっぱりあげる。出発時とちがい、かなりの重量に感じられた。船底の水をぶちまけて、右端の箱に立てかけておく。風は強いが、この角度ならだいじょうぶだろう。

かじかむ手で青い袋に触れた。袋にはE171のタグがついている。ファスナーを開いてなかを覗《のぞ》きこんだ。ミッキーの白く大きな手、そして、陽気に笑う顔がそこにあった。少し濡《ぬ》れてはいるが、袋のなかに水は溜《た》まってはいなかった。

「あったぞ」後藤は向こう岸の由美子たちに怒鳴った。

由美子がなにか言葉をかえしてきたが、雨音のせいで聞き取れなかった。おしゃべりは後でいい、作業は急がねばならない。後藤はゴムボートを箱の上に水平に置き、そのなかに青い袋をおさめようとした。着ぐるみ一式はかなりの重量だった。これを着て自在に踊る久川たちクルーは、まさに強靭《きょうじん》な体力の持ち主なのだろう。あの小さな身体のどこにそれだけのスタミナを有しているのか、後藤にはまるで理解できなかった。

腕の激痛をこらえながら、なんとか袋を持ちあげ、ボートにいれた。帰りはいくらか楽なはずだ。かがみこんでボートを押し、水面に浮かべる。袋を乗せたボートはゆらゆらと揺れながら、階段のほうへと戻っていった。

いいぞ。予測どおり、ボートは風に流されていく。ただし、後押しは必要のようだ。このままでは時間がかかりすぎる。またボートが浸水したら、着ぐるみがだめになってしまう。

やはり水のなかに入って、バタ足でボートを押していくか。それしかない。

そう思って足を踏みだそうとした、そのときだった。

足もとがぐらついた。箱が大きく傾く。あわてて傍《かたわ》らに積みあげられた箱に手を伸ばそうとしたが、それらの箱も固定されてはいなかった。運が悪いことに、箱の側面の扉は施錠《せじょう》されてはいなかった。扉が開き、雑多な中身がぶちまけられて後藤のほうに降りそそいでくる。その直後、ふたつの箱が後藤の頭上に崩れおちてきた。

後藤はとっさに頭を両手でかばったが、硬いものが打ちつけたのは背中だった。激しい痛みとともに、後藤の身体は水面へと投げだされた。水柱が立ち昇ったのをみた瞬間、身体を切り裂くような激痛が襲う。閉じていた目を開くと、泥水の水中に没していることに気づく。

もがいたが、身体は水中から浮上しなかった。どうなっているのか、自分でもよくわからない。息ができなくなった。苦しみが体内にひろがっていく。吐き気をもよおしたが、嘔吐《おうと》することさえかなわない。そして、痛みだけが電気のように全身を駆けめぐる。

薄らぐ意識のなかで、ダメージの大きさだけがしだいにあきらかになっていった。泥水に覆《おお》われた視界が、鮮血のような赤に染まっていくのを、後藤は見た。

椅子《いす》とりゲーム

門倉浩次《こうじ》はクラブ33のテーブルに座り、頬づえをついて周囲の喧騒《けんそう》振りを眺めていた。沼丘と柿崎は口論になっている。あとの者たちも似たり寄ったりだ。議論の内容は、どうすれば調査部の読み違いを帳消しにして、ミッキーマウス発見の功績だけを讃《たた》えられる立場にあやかることができるか。そのことばかりに終始していた。

あきれたもんだと門倉は思った。テーブルの上の皿からディズニーキャラクターをかたどったクッキーをつまみとり、口に放りこむ。向かい合わせて座っている藤木恵里に、皿を押しやりながらいった。「きみも食べたら?」

恵里は恐縮しながら頭をさげただけだった。少しは落ち着いてきたようだな、と門倉は恵里について思った。恐怖は去ったばかりか、周囲は一転して恵里に見向きもせず保身に躍起になっている。こちらは社員たちの狼狽《ろうばい》ぶりを横目で見ながら、クッキーをかじっていればいい。

ふと門倉は、社員たちの声のほかに妙な音がきこえるのを感じとった。男たちの声はいずれも低いが、なにか甲高い叫びのような音が混じっている、そんなふうに思える。

辺りを見まわした。ほどなくそれが、壁ぎわの電話の呼び出し音だとわかった。奇妙な感覚だった。どうして悲鳴のようにきこえたのだろう。門倉はしばし周囲の人間を眺めていたが、誰も電話には気づかない。それぞれが己れの今後を論じるのに手一杯というようすだった。

やれやれだな。門倉は腰を浮かし、電話に近づいていった。受話器をとり、耳にあてる。「はい」

最初にきこえてきたのは、震えるような女の嗚咽《おえつ》だった。

嫌な予感を覚え、門倉はきいた。「どうかしたのか。ええと、桜木さんだろ。ついさっき電話をかけてきた……、そうだろ」

電話の向こうの女は泣きじゃくっていた。ひきつった声を絞りだして、途絶えがちになりながら状況を一句ずつつたえてくる。「ミッキー……後藤君が回収したけど……、その、後藤君が……」

「後藤が？　どうしたんだ」門倉は声を張りあげた。そのせいで、クラブ33のなかはようやく静かになった。

室内の全員の目が降りそそぐなか、門倉は受話器に耳をすました。桜木由美子《ゆみこ》の声が告げた。「大怪我《けが》を負ってる……。助けて……」

門倉は息を呑《の》んだ。社員たちを振りかえって叫んだ。「ミッキーは回収したそうだ。ただ、後藤が……」

ところが、ミッキー回収の知らせを聞いたとたん、クラブ33のなかは異様な雰囲気に包まれた。社員たちに満面の笑みが浮かび、歓声が飛びかった。拍手をする者もいる。それまで険しい顔で意見を闘わせていた沼丘と柿崎《かきざき》が、一転して大はしゃぎで握手を交わした。

沼丘はすかさず携帯電話を取りだし、ダイヤルをはじめた。「さっそく役員会議に知らせよう」

後藤についてまるで意に介さない社員たち。いや、聞こえてはいたが、心にまでは届いていないのだろう。社員たちは一様に笑顔だった。沼丘は夢中で携帯電話にまくしたてている。そうです、回収しました。ミッキーマウスは無事です。

あれだけ準社員に手を出させまいとしていた沼丘が、いまは準社員の報告の真偽をたしかめようともせず、さも調査部の手柄のように報告している。ミッキー発見の知らせを真っ先に自分の口から役員たちに聞かせることで、調査部の功績を印象づけたいのだろう。むろん、恵里の人権を無視した行為の数々が、その功績によって帳消しになることを願って。

そんなに会社の椅子とりゲームにこだわりたいか。門倉は憤《いきどお》りとともに立ちすくんだ。保身と出世にばかりこだわって、そこになにがあるというのだろう。準社員たちがディズニーランドを支えている。彼らはその真理さえもわかっていないのだろうか。

レインボー・ストアハウス

由美子は自分の悲鳴をきいた。言葉にならない声をあげつづけていた。

真っ赤に染まった泥水のなか、後藤が顔を浮上させた。必死で息継ぎしながら、クロールで泳ぎだしている。

「後藤君！」由美子は叫んだ。「だいじょうぶなの!?」

「平気だ」後藤は立ち泳ぎに転じて怒鳴った。「血かと思ったけど、そうじゃないみたいだ。怪我はしてない」

どういうことだろう。由美子は目を凝らした。よく見ると、水面には赤のほかにも青、黄などの色彩がひろがっている。

長岡が由美子にいった。「ペンキだよ。コンテナから転げだしたんだ」

その言葉を耳にしたのとほぼ同時に、由美子は水面に浮き沈みする塗料の缶をみた。初めはひとつだけ、しかしふたつめがすぐに浮かんできて、三つ、四つと、しだいにその数を増やしていった。それとともに、泥水は濃厚な色彩へと染まっていった。

「まずい」と後藤が泳ぎながらいった。「ゴムボートが」

由美子は視線を追った。風向きが変わったのか、ボートは階段から遠くへと流されてしまっている。しかもなぜか、ボートそのものが大きく傾きつつあった。

「雨水だ」長岡が大声で告げた。「船底に雨水が溜まって重くなってる。浸水するぞ」

寒気が由美子の全身を駆けぬけた。いまこの水のなかに浸《つ》かったら、大量の塗料が流れこむ。油性塗料は着ぐるみにとって天敵だった。袋のなかのミッキーマウスはおそらく修復不可能になる。

長岡が階段を降りて水のなかに入り、泳ぎだしたが、ボートはみるみるうちに風に流され、遠方へと運ばれていった。後藤との距離もひろがっている。このままでは、泳ぎつく前にミッキーはペンキまみれになってしまう。

「だめよ」由美子は思わず叫んだ。「なんとかして!」

由美子は階段を駆け降りようとした。が、足がすくんで動かない。こんなときに、どうして駆けだせないのだ。由美子は自分の臆病《おくびょう》さを呪《のろ》った。間に合わない。絶望が全身を支配した。動けないのは、そのせいかもしれなかった。

そのとき、背後にあわただしい足音がきこえた。

「どけ」背の低い男が由美子に告げた。

由美子ははっとして振りかえった。髪からスーツまで、ずぶ濡れになった久川がそこに立っていた。

久川は信じられないという目で水面を見つめると、由美子の脇《わき》をすりぬけて階段を駆け降りた。すばやく上着を脱いで投げ捨てると、ペンキと泥の混ざったヘドロのような水面に、かまわず頭から飛びこんでいった。

水柱が立ち昇り、久川がクロールで遠ざかっていく。ボートへとほぼまっすぐに向かっていった。久川はそこで潜水し、姿を水中に消した。

由美子は固唾《かたず》を呑んで見守った。異様に長い時間が経過した気がする。まだ現れない。どうしたというのか。なぜ久川までが浮かんでこないのだ。

そう思った直後、ふたたび水柱があがった。それも、ボートのすぐ近くだった。小さな身体からは想像もつかないほどの強靭な体力を、久川は発揮していた。浸水しかけているボートを支えながら、バタ足で階段へと引き返しはじめた。

だがさすがの久川でも、いまや向かい風となった方角へ、沈みかけたボートを運ぶだけの推力を発揮するのは至難の業のようだった。前進する速度は徐々に低下していき、やがてほとんど動かなくなった。水面上にのぞいた久川の顔は必死に歯をくいしばっていたが、いくら水を蹴《け》ってもボートはびくとも動かなくなった。

そこに、後藤が合流してきた。後藤は久川とともにボートの後部を支え、バタ足をはじめた。ボートはふたたびゆっくりと前に動きだした。

由美子の視界のなかで、青い袋を乗せたボートが少しずつ大きくなっていく。後藤も久川も、すべての力を振りしぼって着ぐるみを救いだそうとしている。片方の推力がもう一方の推力よりも勝るたびに、ボートは右に左にと進路を変えてしまう。が、ふたりは言葉を交わさずとも、互いの呼吸を見計らうことをすでに体得したようだった。船首が傾きだすと、すぐに一方がバタ足の力を弱めて方向を調整する。ふたりのコンビネーションは絶妙だった。ボートはしだいに速度をあげ、階段へと接近してきた。

長岡が泳いでいき、ボートの船首部分を支えた。そこから三人は立ち泳ぎに入り、ボートをゆっくりと階段へと運んできた。

ついに、ボートは階段へと接岸した。まず小柄な久川が階段に飛び乗り、後藤に手を差し伸べる。後藤は久川に手を引かれ、塗料によってボディペインティングのように染まった重そうな身体を、階段へと引きずりあげた。それからふたりで青い袋を運びあげる。長岡は袋を下から支えてくれていた。無事に袋を階段にもたせかけると、ふたりは長岡の手をとり、階段上にひっぱりあげた。

一連の作業が終わり、三人の男たちは由美子の足もとにそれぞれ転がった。段差の急な階段の上だが、かまわず身体を投げだしていた。

後藤も久川も、苦しげに息をしている。顔は塗料を塗りたくられたかのように、さまざまな色に染まっていた。

久川は肩で息をしながら、後藤を見やった。「なぜペンキをぶちまけたんだ。これじゃ水がひいても、倉庫は虹《にじ》いろに染まっちまうぞ」

「じゃ、虹色倉庫とでも名づけりゃいいでしょう」後藤はやはり息も絶えだえに、投げやりな口調でつぶやいた。「ディズニーっぽく英語で呼んだほうがいいか。ええと、虹はレインボーで、倉庫は……なんだっけ」

「ストアハウス」久川は真顔でいった。「レインボー・ストアハウス」

男たちは虚空《こくう》を見つめたまま、ぜいぜいと呼吸をつづけていた。が、彼らの目に変化があったのを、由美子は見逃さなかった。

おそらく、わたしと同じ思いを抱いたのだろう。由美子はそう思った。「けっこういい名前じゃない？」

後藤がぷっと噴きだした。

久川は頭を起こし、後藤をじろりと見やった。その表情から、ふだんの険しさが消えていった。

やがて久川の顔は弛緩《しかん》し、弾《はじ》けるように笑い声をあげた。

後藤もつられたように笑った。「マジでそれっぽい名前じゃないっすか。ウケましたよ、実際」

由美子も思わず笑った。豪雨のなか、笑いころげるふたりの男を眺めていると、こちらまでおかしくなる。いつの間にか、声をあげて笑っている自分がいた。

長岡が呆《あき》れたようにいった。「よしてくれ。俺たち裏方にゃ覚えにくいぜ、そんなの」

それをきいて、後藤がまた笑った。久川も同様だった。由美子も、こみあげてくる笑いを抑えられなかった。

こんなに腹の底から笑うことができたのは、どれくらいぶりだろう。いまは、すべてが愉快だった。ここに至るまでの苦労も心痛も、すべて吹きとんでいた。そう、なにもかもが楽しい、そう感じていた。

降りしきる雨のなか、薄暗い谷間のなかに、三人の笑い声が響いている。由美子は階段の上にある青い袋に目を落とした。ファスナーの開いた袋の口からミッキーマウスの顔がのぞいている。男たちの努力の甲斐《かい》あって、ペンキの染《し》みひとつ付着していない。ミッキーも無論、笑顔をこぼしていた。

3rd Day

第三日

変化

早瀬実はショーベースの楽屋前の廊下に立ち、ミッキーマウスの着ぐるみを運びこむ美装部員たちに声をかけていた。「さ、急いでくれ。朝のショーまでもう時間がないんだ」

隣りに並んで立つ運営部の錦野《にしきの》が、廊下の端に目をやり、それからかしこまって直立不動の姿勢をとった。早瀬、促すような声でそう告げる。

「なんですか」早瀬は錦野を見た。その視線を追って、廊下をゆっくりと歩いてくるスーツ姿の小男に気づいた。ショーの主役、門倉だった。

「おはようございます」錦野が門倉に、にこやかにいった。

早瀬もそれにならった。門倉に朝のあいさつを投げかけ、笑顔をつとめた。「ミッキーマウス、準備万端整っております」

門倉はふたりの前で立ちどまった。「ミッキー、水に浸《つ》かりかけてたそうだけど、無事だったかな？」

「そりゃもう」早瀬はいった。「ボディファーの一部は新品と取り替えましたし、紛失前となんら変わることがない着心地だと思います」

ふうん。門倉は、楽屋の開け放たれた扉のなかをちらと覗《のぞ》いた。「後藤君は、きょうはどこに？」

早瀬は一瞬、口ごもった。クルーのなかでも主役としてのプライドが高いことで知られる門倉が、美装部の新入りを気にかけるとは意外だった。

「後藤は」早瀬は咳《せき》ばらいした。「そろそろパレードの着付けに入るころだと思います。まだステップ1ですので」

「そうか」門倉は少しばかり残念そうな面持ちになった。それからじっと早瀬を見つめていった。「美装部にはいつも感謝してます。後藤君にもよろしくつたえてください。あ、それから藤木さんにも、運営部の桜木さんにも」

運営部という名称がでたとたん、錦野がうやうやしく頭をさげた。「もちろん、つたえておきます。では、ショーのほう頑張ってください」

門倉はしばしその場にたたずんでいた。まだなにか言い足りないことがある、そんな表情のいろを浮かべていた。が、やがて微笑を投げかけると、楽屋のなかに消えていった。

やはり意外だと早瀬は思った。ショーやパレードのクルーは、美装部に対してはどこか精神的に優位な立場にあるのが常だった。こちらはクルーを激励し、持ちあげ、テンションを高めて表舞台へと送りだす裏方だった。とりわけ門倉はそんな立場のちがいを明確に表すひとりだった。いつもならば、ただ鼻息荒く廊下を突っきって、楽屋のなかではベテランの美装部員にすら不遜《ふそん》で尊大な態度をしめしていたはずだ。

いまはそれがなかった。彼はむしろ、こちらに気遣いをしめした。長いキャスト人生のなかで、いちどたりとも経験したことのない時間が流れていた。

「さて」錦野がいった。「私は運営部に戻らなきゃな。きみは、パレードのほうの美装部も監督しなきゃならないんだろ？　たいへんだね」

錦野のその言葉も、皮肉には受けとらず、ただ仲間に対する同情だと理解できる自分がいた。

正社員の錦野と、準社員の自分。そのふたつを分ける垣根は結局のところ、自分のなかにあったのではないか。早瀬はいまになってそう思った。彼もキャスト、自分もキャスト。皆で夢と魔法の王国を支えている。自分もその重要な一翼を担《にな》っているではないか。なにを遠慮がちになっていたのだろう。なぜ卑屈になっていたのだろうか。

錦野が早瀬にきいてきた。「どうかしたの」

「え？」

「妙に嬉《うれ》しそうだから。なぜ、にやけてるのかと思って」

ああ、と早瀬は曖昧《あいまい》に返事した。言葉にできることではない。自分の内面の変化など、言い表せることでもない。ただ、ひとつだけいえる。ここで働いていてよかった。自分という人間の持つ誇りだ。いまなら、胸を張ってそういえる。

夢の国の住人

澄みきった青空の下、ディズニーランドは大勢のゲストで混みあっている。桜木由《ゆ》美子《みこ》はシンデレラ城前で、ゲストから渡されたカメラのファインダーをのぞきこんでいた。若い夫婦と、まだ幼い女の子の一家三人。にこやかに笑う家族に、由美子は声をかけた。「いきますよ。はいチーズ」

シャッターをきる。またひとつ、ゲストが持ち帰ることのできる思い出に手を貸すことができた。ただ写真を撮るだけの行為に、そんな満足感を覚える自分がいる。

どうもありがとう。一家の父親が照れ笑いをしながらカメラを受け取る。どういたしまして。いってらっしゃい。由美子は笑って手を振り、家族を見送った。

足ばやに近づいてくる男がいた。運営課の上司だった。上司は息を切らしながら由美子にいった。「桜木さん、悪いけどアストロブラスターのQライン、手伝ってよ」

「どうかしたんですか？　人数が足りないとか？」

「いや。足りないのは数じゃなく経験だよ。入りたての子が、スタンバイとファストパスの列の合流で苦労してる」

由美子は笑った。「ああ。クレームをつけられやすい場所だからね。なんでそっちを先に通すんだとか、怒っちゃうゲストもいるし」

「だからさ。桜木さんが手本をしめしてあげてよ。スタンバイ六人、ファストパス二十五人の割合で交互に通せないと、Qラインがうまく消化できないんだよ」

「わかりました。いきます」由美子はそういって歩きだした。

上司は歩調をあわせながら、由美子を横目に見ていった。「ちかごろ、ずいぶん張りきってるね」

「そうですか？」

「ああ。前から職務熱心だったけど、いまはなんというか、妙に楽しそうだ」

自然に顔がほころんでくる。歩きながら由美子はいった。「だって、楽しいんだもらの。本当の意味でこの夢の国を支えているのが、わたしたちだってわかったから」

上司は妙な顔をした。「どういうことだい？」

「ゲストのためにディズニーランドは存在するけど、それを維持してるのは会社の偉い人でもなければ、スポンサーでもない。わたしたち」

「本当にそう思うのか？」上司は肩をすくめた。「言わんとしてることはわかるけど、残念ながら、カネだしてる連中がいちばん偉いことに変わりはないと思うけどな」

「いいえ」と由美子はつぶやいた。「わたしたちがいなきゃ、この世界の幻想は守れない。よくわかってたつもりだったんだけどね……。忙しすぎて、最近はちょっと忘れがちだった。でも思いださせてくれた人がいるの」

上司が片方の眉《まゆ》を吊《つ》りあげて由美子をみた。それは誰だね、そう尋ねてくるのはあきらかだった。由美子は歩を速めて、その質問には答えまいとした。

誰も賛同してくれなくたっていい。わたしにとって彼は、尊敬すべきキャストの鑑《かがみ》だ。たとえ後輩であっても。彼と出会うことができて、わたしはふたたび夢と魔法の王国の住人になることができた。由美子は思った。そう、わたしの求めることはここにある。人々に幻想を通じて、希望を与えることのできる数少ない職務に、わたしは従事している。初心に帰った。生まれ変わったかのようだ。

フィナーレ

パレードビルの楽屋で、後藤はミッキーマウスの頭部《ヘッド》を慎重に持ちあげながら、向かいに立っている恵里に声をかけた。「さ、そっちを持って。ゆっくり上げて」

恵里はこわばった顔でしゃがむと、ミッキーの頭に手をかけて、後藤とともに持ちあげた。最初は緊張の面持ちだったが、すぐに冷静さを取り戻し、後藤と歩調をあわせてクルーのほうに運ぶのに支障はなくなった。

クルーはすでに胴体部分とグローブ、ブーツを身につけている。その頭上にミッキーのヘッドを運び、垂直にゆっくり降ろす。ヘッドの内部にあるリングが、クルーの頭の上に乗るようにする。一連の動作はスムーズにおこなわないと、リングに局所的に重さがかかって痛みをはなつ。固定されるまでヘッドは水平を保たねばならない。

やがてヘッドはしっかりとおさまり、ミッキーマウスが完成した。

「装着感、どうですか」後藤はミッキーにきいた。「ぐらついたりしませんか」

ミッキーは片手でＯＫのサインをだした。

後藤は思わず笑った。恵里も笑顔になっていた。

そんな恵里の顔を、後藤はじっと見つめた。「よかった。元気になってくれて」

恵里は視線を落としながらも、まだ微笑をたたえていた。「ありがとう。でも……」

「キャストに復帰できるかどうか心配？」

しばしの沈黙のあと、恵里はこっくりとうなずいた。

わかるよ、と後藤はため息まじりにいった。「だけど、きみがミスをしてしまったのは、それだけ心が追い詰められてたからにすぎない。みんなもう、わかってることだよ」

恵里は深刻そうにつぶやいた。「そうかな」

「そうだよ。心配ないって」

ミッキーが恵里の肩をぽんと叩《たた》いた。恵里が驚いたように顔をあげると、ミッキーはまた、指で丸をつくりOKだとしめした。

後藤は笑いかけていった。「ミッキーも心配ないっていってくれてるし」

恵里の顔にまた笑みが戻った。

そのとき、戸口にあわただしい足音がきこえた。扉が開くと、調査部の沼丘と法務部の柿崎《かきざき》が、血相を変えて踏みこんできた。

沼丘は後藤に目をとめ、次いで恵里に視線を向けた。「ここでなにをしてる」

「なにをって」後藤はいった。「もうすぐパレードですから。着付けをおこなっているんです」

「着付けだと」沼丘はミッキーマウスをじろりと見た。「主要なキャラは正社員立ち会いのもと、経験を積んだ美装部員によっておこなわれるはずだ。きみらが手をだせる仕事ではない」

「スーパーバイザーの早瀬さんの許可を得て、替わってもらったんですけど」

柿崎が渋い顔をした。「そのことなら、さっき外できいた。ベテラン勢が戸惑ってたぞ。いったいどういうつもりだ」

「それは、その」後藤は恵里を見た。「彼女に自信をつけさせたくて」

「自信?」沼丘の口もとが不敵に歪《ゆが》んだ。「キャストでなくなる人間に、自信をつけさせてどうなるというんだね」

恵里が沈痛な面持ちになり、床に目を落とした。やはり。そういう諦《あきら》めのいろが、表情に広がっている。

後藤は沼丘を見つめた。「彼女にはクビになる理由はないと思いますが」

「馬鹿《ばか》をいえ」柿崎が腕組みをした。「威力業務妨害。損害賠償義務もある」

「それについては、あなたたちの見当はずれの追及に端を発したこととして、不問に付すものだと思ってましたが。久川さんもそういってたし」後藤はミッキーにたずねる顔を向けた。「そうでしょう？」

ミッキーマウスはまた指でOKサインをだした。

沼丘は苛立《いらだ》ったようすでいった。「彼はわが社における法の専門家だ。大学の法学部レベルとは話がちがう」

「へえ」後藤は頭をかいた。「彼女に非はないのに、責任を負わせるっていうんですか」

「彼女には非がある。きみにもだ、後藤。ランドでの職務を放棄して、勝手にシーに向かい、デリバリーセンターの人間に情報を開示させたり、無断で倉庫に立ち入ったりした」

「そうでもしなきゃ、ショー用ミッキーは水没してました」

「もとはといえば」と沼丘はじろりと恵里を見た。「彼女の失策で、ショー用の着ぐるみがシー方面に送られたからだろ」

室内は静まりかえった。後藤は沼丘を見つめていた。沼丘も、後藤を見かえしていた。

後藤はきいた。「事実を曲げるんですか」

「曲げてなどいない」沼丘はいった。「すべて真実だ」

「配送のミスはデリバリーセンターによるものです。いや、彼らの過失だったかどうかも疑わしい。複雑すぎるシステム管理に改良の余地があったんです」

「一準社員が会社を批判かね」

「ええ、そうですとも」後藤は声高にいった。「僕たちはゲストの笑顔に接するのが好きです。そのためにこの仕事を選んだんです。ディズニーランドを支えるためなら、なんだってします。自分で正しいと思った道を進みます。スーツを着て本社棟におさまっておられるあなたたちは、僕たちをたんなる盤上《ばんじょう》の駒《こま》とでも見ているのかもしれない。でもここは、すべてが手作りなんです。ゲストの夢を守るために誰もが全力を尽くしてるんです。たしかに規則を守ることは重要です。けれども、なによりも優先されるのはゲストのために働くことではないですか。ディズニーランドを永遠に素晴らしい楽園として維持していくことではないんですか。僕らが愛しているのは会社じゃない、ディズニーランドなんです。あなたたちの立場を守るために働いてるわけじゃありません!」

一気にまくしたてて、少し息がきれた。荒くなった呼吸を整えながら、後藤は沼丘をにらみつけた。

沼丘は硬い顔で後藤をじっと見つめていたが、やがて嘲笑《ちょうしょう》に似た笑いを浮かべた。「綺麗《きれい》ごともいいところだ。だからきみらはアマチュアなんだよ。キャストではなくゲストとしてインパークして、わが社に金を落としていけばいいんだ」

後藤は憤《いきどお》りを感じた。「ディズニーランドを愛することを馬鹿にするんですか」

「まあ、そうだな。馬鹿だよ、きみらは。遊び気分で幻想に浸って、それでパークを支える一員になったつもりでいる。じつはわれわれがそうさせているだけのことだ。きみらの無邪気な夢物語への忠誠心を利用して、安い時給でこきつかっている、ただそれだけのことだ。きみらひとりひとりには、それぐらいの存在価値しかないんだよ」

「本気でそう思ってるんですか」

ああ、と沼丘はうなずいた。「なにかミスが起きたら、組織の末端を切る。トカゲの尻尾《しっぽ》を切るみたいにな。準社員はそのために存在するようなものだ。不具合が起きたら責任を負ってもらう。きみらのようにね」

「配送ミスが彼女のせいじゃなくても、そうするっていうんですか」

「そうだ。彼女は美装部員として当日の着ぐるみ担当だった。上にそう報告すれば彼女のせいになる。万事それで丸くおさまる」

「腐ってますね」後藤は侮蔑《ぶべつ》をこめていった。「正社員の久川さんが異議を唱えると思いますが」

沼丘はつかつかとミッキーマウスの前に歩を進め、向かいあった。「きみも肝に銘じておくことだ、久川。事実がどうであれ、一連の不祥事は準社員に責務を負わせる。会社に混乱を齎《もたら》したら、きみの立場も危うくなる。そこのところ、よく理解しておけ」

後藤は沼丘の高慢な演説をしばし聞き流していたが、沼丘が言葉を切ると、ミッキーに近づいていきヘッドに手をかけた。後藤は恵里にいった。「そっち持って」

恵里が駆け寄ってきた。ふたりは力をあわせて、ゆっくりとミッキーのヘッドを垂直方向に取り除いた。

まず息を呑《の》んだのは柿崎だった。沼丘の反応は鈍かった。いったん目を逸《そ》らしてから、はっとした顔になり、あわてて視線を戻した。

ミッキーの着ぐるみを着た中村専務の険しい顔が、沼丘と柿崎をじっと見つめている。ふたりの正社員は、獣ににらまれた小動物のように凍りつき、ちぢこまっていた。

奥の収納庫の扉が開き、隠れていた久川がでてきた。久川はすました顔で専務にきいた。「着ごこちはいかがでしたか。専務」

「たいへんだな」中村は額の汗をふきながらいった。「まっすぐ歩けそうにないし、前も見づらい。ただ、会話は明瞭《めいりよう》にきこえた」

沼丘と柿崎の顔に絶望のいろがひろがっていた。ふたりは言葉を失い、顔面を蒼白《そうはく》にして身を震わせていた。

後藤は恵里と共同で、着ぐるみを脱がしにかかった。グローブとブーツをはずし、背中のファスナーを下ろして、専務を解放した。久川同様に背の低い中村は、緩めていたネクタイを整えながら着ぐるみから離れて立った。

「いったい」沼丘がうわずった声を絞りだしてきた。「ここでなにを……専務」

中村は椅子《いす》から上着をとり、それを羽織りながら沼丘を見やった。「わが社を危機から救った準社員には、役員全員が会いたがっている。で、私が代表として来たんだが、彼らにミッキーになるよう勧められてね」

むろんそれは、沼丘たちの真意を専務に知らせるための作戦だった。久川の説得により、中村は協力を承諾した。沼丘たちがやってくるであろうパレード前の準備時間に、専務をミッキーマウスに仕立てて会話を聞いてもらうことにしたのだ。

「あの、専務。そのう」柿崎がしどろもどろにいった。「規則に準ずれば、その……」

中村は柿崎を一瞥《いちべつ》した。「規則に準ずれば、プロップスは関係者以外、立ち入り禁止だろう。許可の書類を本社に申請したか？」

もはやぐうの音もでないようだった。沼丘と柿崎は顔を見合わせ、それから後ずさった。失礼しました。甲高い声でそう告げると、慌《あわ》てふためいた足どりで戸口をでていった。

ふたりの足音が遠ざかると、久川が頭をさげた。「専務、本当にありがとうございました」

「いや」と中村は笑いをこぼした。「楽しかったよ。それに、きみらの仕事の苦労もよくわかった。なにより、きみらは東京ディズニーランドを救った。キャストの誇りだよ」

後藤は恐縮して、久川同様にただ頭をさげるしかなかった。

「後藤君。美装部員として、これからもよろしく頼むよ」中村はそういうと、恵里に向き直った。「きみも、いずれいいダンサーになれそうだな」

恵里が顔をあげて、きょとんとした目で専務を見つめる。専務はもういちど微笑すると、戸口へと歩きさっていった。

緊張が解け、室内に暖かさが戻ってきたように感じられた。後藤は恵里を見て、ため息をついてみせた。恵里も後藤をみて笑った。その瞳《ひとみ》が、かすかに潤《うる》んでいた。

「さあ」久川が上着を脱いだ。「パレードまで時間がない。着せてくれ」

後藤は当惑しながらいった。「すぐ、先輩の部員たちを呼んできます」

「きみらがやるんだよ」

「え？　でも、ミッキーは経験者が……」

「もう経験したろ」久川はネクタイをはずしながら、後藤をじっと見つめた。「専務をミッキーにした美装部員だ、誰も文句はいわん」

恵里の顔に笑いがひろがった。後藤も思わず笑顔になった。「はい」

「急げ」久川がきびきびといった。「きょうは休日だ。ゲストを待たせるわけにはいかないからな」


青い空の下、パレードビルの前に連なるフロートの列、そして数百人のダンサー、ミュージシャンたち。風は穏やかで、空気は澄んでいた。夢と魔法の王国のバックステージに、やわらかい陽射《ひざ》しが降りそそぐ。

「スタート十秒前」アナウンスが響きわたる。「……三、二、一。テープまわりました」

パレードのテーマ曲が壮大に流れだす。ミュージシャンたちはそれに合わせて演奏と足踏みを始める。ダンサーたちは踊りだす。まだゲストの目に触れない場所だが、パレードは始まっていた。

尾野がフロートのなかを駆けずりまわっている。不具合のあった着ぐるみのパーツを取り替えてきたらしい、ドナルドダックのグローブの片手を持って、怒鳴りながら走っている。「ドナルド、ドナルドはどこだ！」

ダンサーのひとりが後方のフロートを指し示す。そこにドナルドダックがいた。片手だけまだ人間だった。尾野がそのフロートに駆け登る。笹塚《ささづか》もほぼ同時にフロートにあがり、ふたりは協力して素早くドナルドの手を装着した。フロートが動きだす寸前、尾野と笹塚は地面に飛び降りた。

尾野は後藤のほうに駆けてきながら叫んだ。「どうだ。これがベテランの美装部員の働きってやつだ。よく目に焼きつけとけ」

「そうします」後藤は笑って答えた。

ディスパッチ１の扉が開き、パレードは動きだした。見送る美装部員たちが手を振る。後藤の横で、恵里も笑顔で手を振っていた。

その子供のように無邪気な横顔を眺めながら、後藤は思った。そう、彼女はきっといつかダンサーになれる。そして自分も、もっとこの世界で大きくなってみせる。より多くのゲストに夢を与えるために。どんな障害にも打ち負かされないために。

ひときわ大きくて派手なフロートが目の前を通過していく。見あげると、ミッキーマウスの姿がそこにあった。ミッキーはこちらを見下ろしていた。いつも笑顔のミッキーは、後藤に向かって親指を立てた。後藤もミッキーに同じことをしてみせた。

この物語はフィクションです。
実在の団体名、個人名、事件とは全く関係ありません。
その為《ため》、実在しない名称、既に廃止された名称等が含まれています。

解説——松岡圭祐が魅せる「夢と魔法」の物語

藤田香織

〈文庫は解説から読む〉派の方のために、あるいは、今、書店でこの強烈にヒキの強いタイトルに誘われて「どんな本なのかな」とこの解説を軽く流し読みしようとされている方のために、まず一言、この物語はフィクションです。東京ディズニーランド（以下TDL）、及び東京ディズニーシー（TDS）、ひいては東京ディズニーリゾート（TDR）の裏側の「知られざる真実」を暴《あば》く本ではありません。

……とは言うものの。実は本書が単行本として発売された二〇〇五年の三月、ディズニー好きとしては見逃せない『ミッキーマウスの憂鬱《ゆううつ》』というタイトルに心奪われ、読み始めてしばらくしたところで、「これって……どこまで本当なのかな？」と考えてしまったのもまた事実。

いきなりジャングル・クルーズでの準社員（アルバイト）採用試験から幕を開ける

本書のメイン舞台は、まごうかたなきあの「東京ディズニーランド」。今更言うまでもないけれど、TDL及びTDSは、小さな子供から爺《じい》ちゃん婆《ばあ》ちゃんまで、もはや日本中で知らぬ人などいないと言っても過言ではない、不動の人気を誇るテーマパークです。一九八三年のオープン以来「夢と魔法の王国」をこれまで(二〇〇七年末)に訪れたゲストの人数は、管理・運営している株式会社オリエンタルランドのHPによると、なんと累計《るいけい》約四億三千六百四十三万七千人! 現在の日本の総人口が約一億三千万人であることを考えると、その人気の凄《すご》さを改めて実感せずにはいられません。そんな「王国」を守るために、オリエンタルランド社がどれほど目を光らせているかということは、一般的にも広く知られています。徹底したキャラクター商品の管理、食やアトラクションの安全性はもちろん、ゲストの目に触れることのないバックステージの内情が漏れ、夢を壊したりしないように、TDRで働くキャストには口外禁止が言い渡されているはず。

にもかかわらず、本書の主人公は、初出勤当日からバックステージを走りまわります。〈ロールプレイングゲームで、いままで侵入できなかった場所にふいに入ることのできた瞬間と同じ興奮〉を隠しきれない主人公の気持ちと同じように、私も次々明らかにされる「秘密」に驚き、面白がり、と同時に、これ以上裏舞台が明らかになったら「魔法」がとけてしまうのではないかと、少し不安も抱いてしまったのです。

でも、だけど。

そんな心配はまったく無用でした。私自身、一時期は熱に浮かされたようにTDRに夢中になり、数え切れないほどパークに足を運んだディズニーファンですが、本書を読み終えた時には、以前よりもっとTDRが好きになっていました。既に本文を読み終えられた方には必ずや同意して頂けると確信していますが、作者が本書で魅せてくれた「夢と魔法」は、それほど大きく、そして力強いものだったのです。

本書の主人公・後藤大輔《だいすけ》は二十一歳。高校を卒業して以来、フリーターとして働いてきた大輔が、前述の採用試験の出来こそ散々だったものの、やる気と笑顔をかわれTDLの準社員として採用されたことから物語は動きだします。配属先の美装部をヴィソーブと聞き間違え、意味もわからないまま〈なにやら格好よさそう〉と心ときめかせ、希望に燃えてバックステージに足を踏み込んだ大輔を待っていた初仕事は、パレードに出るキャラクターたちの着ぐるみを出演者に着付けること。しかも、大輔が任されたのは、名前も知らない「カスキャラ」。ヴィソーブ＝美装部で、完全裏方仕事であることだけでもがっくり来ていたのに、ミッキーやミニーといった主要キャラには触れることさえできず、担当外のことに首を突っ込みまくっては怒られ、早々に「現実を見ろ」と言われてしまう。

「夢と魔法の王国」の「現実」。同じ王国に仕えるキャストであっても、社員と準社員では立場も権限も驚くほど異なり、同じ準社員でも明確な階級の違いがあり、入ったばかりの準社員である大輔は、そのピラミッドの最下層にいるわけですが、自分の中でその現実を受け止めることができません。と言うか、自分の立場に気付いていない。

入社したてでまだ右も左もわからないのに「もっとやりがいのある仕事をさせて下さい！」と言いだすバイトくん。大輔に限らず、一般社会でもよく見かけますね。そんな大輔が、王国の「掟《おきて》」を身をもって実感し、自分の果たすべき役割を覚え、その仕事の意味を痛感し、少しずつ成長してゆく——と言うのが本書の縦軸になっています。

そして横軸となって、この物語を支えているのが、公《おおやけ》には決して語られることのない「王国」バックステージの様子です。「TDLの地下には巨大通路が迷路のように張り巡らされている」、「ミッキーマウスの〝中の人〟は、実は女の子が多い」などなど、「噂《うわさ》」レベルで耳にしてきた、私たちの「知りたい」ことを、大輔の目を通して見ることが出来る。

〈開け放たれた扉の向こう、倉庫のように雑然とした部屋のなか、二段になった棚に、ミッキーマウスの頭部がいくつも並んでいた〉なんて場面は、「ミッキーマウスは着ぐるみじゃない。中に人なんて入っていない」という、頑《かたく》なに守られてきた王国最大の「掟」をぶち破るもので、読んでいるだけでも実に衝撃的。「着ぐるみ」を「中の人」に、どんな手順で着付けてゆくのか、一般には公開されていない「クラブ33」での会議の様子、TDLとTDSのバックステージの違いなどなど、「そうだったのか！」と興味をひかれる描写が数え切れないほど盛り込まれています。

しかし、舞台は馴染《なじ》みのある「東京ディズニーランド」ですが、本書を企画・運営しているのはオリエンタルランドではなく、松岡圭祐。そのことを、忘れてはいけないのです。

作者の松岡さんの作品には、本書以外にも東京ミッドタウンを舞台にした『千里眼ミッドタウンタワーの迷宮』や、今年三月に開業したばかりの巨大観覧車が登場する『千里眼　シンガポール・フライヤー』など、実在する人気スポットを題材にした小説があり（しかもこの二冊は、オープン前に執筆されていたという恐るべき事実）、その取材力には定評があります。そんな彼が、単なる想像で本書を描いたのではないことは明白で、だから私もつい、先に述べたように「不安」になってしまった。

けれど、本書を最後まで読めば、この物語が実に巧みに計算され、気を配られたフィクションであることが、判《わか》ってくるのです。オリエンタルランド社の組織図には「調査部」などないし、第一、本書で大輔を採用したのはオリエンタルランドではなく、株式会社オリエンタル「ワールド」。実際にはＴＤＲで働くキャストが、大輔のようにいきなり現場に出されることもないはず、です。

緻密《ちみつ》な取材で入手した情報を、読者が望む形で巧みにアレンジして物語に取り入れる。私はそういう作家が、個人的にとても好きなのですが、なかでも松岡圭祐氏のその手腕には毎回、深く唸《うな》らずにはいられません。

ストーリーにもう少しだけ触れておくと、「勘違い君」だった大輔は、やがてＴＤＲの存続さえ危ぶまれる大事件に巻き込まれ（いや、自ら首を突っ込み）、仲間を、そしてミッキーマウスを救うため、奔走します。最大の読みどころとなるので本文を未読の方のため詳細は省きますが、この後半の展開は実にスリリングかつ、痺《しび》れるほどのカッコよさ。そんなこと、あり得ないとは分かっていても、手に汗握る展開に心躍ること間違いなし。

日々の「現実」を生きる私たちの、明日の活力となってくれる痛快かつ爽快《そうかい》なエンディングに仕上がっています。

史上初のディズニーランド小説である本書は、ちょっと痛痒《いたがゆ》い青春小説であり、労働意欲を刺激されるお仕事小説でもあり、痛快なミステリー小説でもある、極上のエンターテインメント。今年開園25周年を迎えた不動の人気を誇る「王国」に、作家・松岡圭祐が仕掛けた「夢と魔法」を、思いっきり楽しんで下さい。

（平成二十年八月、書評家）

この作品は平成十七年三月新潮社より刊行された。

伊坂幸太郎著　オーデュボンの祈り

卓越したイメージ喚起力、洒脱な会話、気の利いた警句、抑えようのない才気がほとばしる！　伝説のデビュー作、待望の文庫化！

伊坂幸太郎著　ラッシュライフ

未来を決めるのは、神の恩寵か、偶然の連鎖か。リンクして並走する4つの人生にバラバラ死体が乱入。巧緻な騙し絵のごとき物語。

伊坂幸太郎著　重力ピエロ

ルールは越えられるか、世界は変えられるか。未知の感動をたたえて、発表時より読書界を圧倒した記念碑的名作、待望の文庫化！

伊坂幸太郎著　フィッシュストーリー

売れないロックバンドの叫びが、時空を超えて奇蹟を呼ぶ。緻密な仕掛け、爽快なエンディング。伊坂マジック冴え渡る中篇4連打。

恩田　陸　著　六番目の小夜子

ツムラサヨコ。奇妙なゲームが受け継がれる高校に、謎めいた生徒が転校してきた。青春のきらめきを放つ、伝説のモダン・ホラー。

恩田　陸　著　ライオンハート

17世紀のロンドン、19世紀のシェルブール、20世紀のパナマ、フロリダ……。時空を越えて邂逅する男と女。異色のラブストーリー。

恩田陸著
図書室の海
学校に代々伝わる〈サヨコ〉伝説。女子高生は伝説に関わる秘密の使命を託された――。恩田ワールドの魅力満載。全10話の短篇玉手箱。

恩田陸著
夜のピクニック
吉川英治文学新人賞・本屋大賞受賞
小さな賭けを胸に秘め、貴子は高校生活最後のイベント歩行祭にのぞむ。誰にも言えない秘密を清算するために。永遠普遍の青春小説。

重松清著
ナイフ
坪田譲治文学賞受賞
ある日突然、クラスメイト全員が敵になる。私たちは、そんな世界に生を受けた――。五つの家族は、いじめとのたたかいを開始する。

重松清著
日曜日の夕刊
日常のささやかな出来事を通して蘇る、忘れかけていた大切な感情。家族、恋人、友人――、ある町の12の風景を描いた、珠玉の短編集。

重松清著
きよしこ
伝わるよ、きっと――。少年はしゃべることが苦手で、悔しかった。大切なことを言えなかったすべての人に捧げる珠玉の少年小説。

重松清著
くちぶえ番長
くちぶえを吹くと涙が止まる。大好きな番長はそう教えてくれたんだ――。懐かしい子どもも時代が蘇る、さわやかでほろ苦い友情物語。

重松　清著

熱　球

二十年前、もしも僕らが甲子園出場を果たせていたなら――。失われた青春と、残り半分の人生への希望を描く、大人たちへの応援歌。

梨木香歩著

裏　庭

児童文学ファンタジー大賞受賞

荒れはてた洋館の、秘密の裏庭で声を聞いた――教えよう、君に。そして少女の孤独な魂は、冒険へと旅立った。自分に出会うために。

梨木香歩著

西の魔女が死んだ

学校に足が向かなくなった少女が、大好きな祖母から受けた魔女の手ほどき。何事も自分で決めるのが、魔女修行の肝心かなめで……。

梨木香歩著

りかさん

持ち主と心を通わすことができる不思議な人形りかさんに導かれて、古い人形たちの遠い記憶に触れた時――。「ミケルの庭」を併録。

梨木香歩著

家守綺譚

百年少し前、亡き友の古い家に住む作家の日常にこぼれ出る豊穣な気配……天地の精や植物と作家をめぐる、不思議に懐かしい29章。

梨木香歩著

冬虫夏草

姿を消した愛犬ゴローを探して、綿貫征四郎は家を出た。鈴鹿山中での人人や精たちとの交流を描く、『家守綺譚』その後の物語。

湯本香樹実著

夏の庭
—The Friends—

米ミルドレッド・バチェルダー賞受賞

死への興味から、生ける屍のような老人を「観察」し始めた少年たち。いつしか双方の間に、深く不思議な交流が生まれるのだが……。

湯本香樹実著

ポプラの秋

不気味な大家のおばあさんは、ある日私に奇妙な話を持ちかけた——。『夏の庭』で世界中の注目を浴びた著者が贈る文庫書下ろし。

湯本香樹実著

春のオルガン

いったい私はどんな大人になるんだろう？小学校卒業式後の春休み、子供から大人へとゆれ動く12歳の気持ちを描いた傑作少女小説。

森見登美彦著

太陽の塔

日本ファンタジーノベル大賞受賞

巨大な妄想力以外、何も持たぬフラレ大学生が京都の街を無闇に駆け巡る。失恋に枕を濡らした全ての男たちに捧ぐ、爆笑青春巨篇！

角田光代著

キッドナップ・ツアー

産経児童出版文化賞・路傍の石文学賞受賞

私はおとうさんにユウカイ(=キッドナップ)された！　だらしなくて情けない父親とクールな女の子ハルの、ひと夏のユウカイ旅行。

角田光代著

よなかの散歩

役に立つ話はないです。だって役に立つことなんて何の役にも立たないもの。共感保証付、小説家カクタさんの生活味わいエッセイ！

佐藤多佳子著
しゃべれども しゃべれども

頑固でめっぽう気が短い。おまけに女の気持ちにゃとんと疎い。この俺に話し方を教えろって？「読後いい人になってる」率100％小説。

佐藤多佳子著
サマータイム

友情、って呼ぶにはためらいがある。だから、眩しくて大切な、あの夏。広一くんとぼくと佳奈。セカイを知り始める一瞬を映した四篇。

佐藤多佳子著
黄色い目の魚

奇跡のように、運命のように、俺たちは出会った。もどかしくて切ない十六歳という季節を生きてゆく悟とみのり。海辺の高校の物語。

石田衣良著
4TEEN【フォーティーン】
直木賞受賞

ぼくらはきっと空だって飛べる！ 月島の街で成長する14歳の中学生4人組の、爽快でちょっと切ない青春ストーリー。直木賞受賞作。

石田衣良著
眠れぬ真珠
島清恋愛文学賞受賞

人生の後半に訪れた恋が、孤高の魂を持つ咲世子を少女に変える。恋人は17歳年下。情熱と抒情に彩られた、著者最高の恋愛小説。

石田衣良著
夜の桃

少女のような女との出会いが、底知れぬ恋の始まりだった。禁断の関係ゆえに深まる性愛を究極まで描き切った衝撃の恋愛官能小説。

新潮文庫最新刊

大塚已愛著
鬼憑き十兵衛
日本ファンタジーノベル大賞受賞

父の仇を討つ――。復讐に燃える少年と憎形の鬼、そして謎の少女の道行きはいかに。満場一致で受賞が決まった新時代の伝奇活劇！

町屋良平著
1R1分34秒
芥川賞受賞

敗戦続きのぽんこつボクサーが自分を見失いかけるも、ウメキチとの出会いで変わっていく。若者の葛藤と成長を描く圧巻の青春小説。

田中兆子著
徴産制
センス・オブ・ジェンダー賞大賞受賞

疫病で女性が激減した近未来。国家は18歳から30歳の男性に性転換を課し、出産を奨励した――。男女の壁を打ち破る挑戦的作品！

櫻井よしこ著
問答無用

一帯一路、RCEP、AIIB、中国の野望に米中の対立は激化。米国は日本にも圧力をかけてくる。日本のとるべき道は、ただ一つ。

野地秩嘉著
トヨタ物語

ジャスト・イン・タイム、アンドン、かんばん方式――。世界が知りたがるトヨタ生産方式とは何か。最深部に迫るノンフィクション。

原田マハ著
常設展示室
―Permanent Collection―

ピカソ、フェルメール、ラファエロ、ゴッホ、マティス、東山魁夷。実在する6枚の名画が人々を優しく照らす瞬間を描いた傑作短編集。

ミッキーマウスの憂鬱《ゆううつ》

新潮文庫　ま - 34 - 1

平成二十年九月一日発行
令和三年十一月三十日三十刷

著者　松《まつ》岡《おか》圭《けい》祐《すけ》

発行者　佐藤隆信

発行所　株式会社新潮社

郵便番号　一六二―八七一一
東京都新宿区矢来町七一
電話 編集部(〇三)三二六六―五四四〇
読者係(〇三)三二六六―五一一一
http://www.shinchosha.co.jp

価格はカバーに表示してあります。

乱丁・落丁本は、ご面倒ですが小社読者係宛ご送付ください。送料小社負担にてお取替えいたします。

印刷・錦明印刷株式会社　製本・加藤製本株式会社

ISBN978-4-10-135751-5 C0193